CONFESSION

ET

LETTRE A COROTICUS

SOURCES CHRÉTIENNES

Fondateurs : H. de Lubac, s. j. et † J. Daniélou, s. j.
Directeur : C. Mondésert, s. j.
No 249

SAINT PATRICK

CONFESSION
ET
LETTRE A COROTICUS

INTRODUCTION, TEXTE CRITIQUE, TRADUCTION ET NOTES

PAR

Richard P. C. HANSON
PROFESSEUR DE THÉOLOGIE A L'UNIVERSITÉ DE MANCHESTER

AVEC LA COLLABORATION DE

Cécile BLANC

LES ÉDITIONS DU CERF, 29, BD DE LATOUR-MAUBOURG, PARIS
1978

La publication de cet ouvrage a été préparée avec le concours de l'Institut des Sources Chrétiennes (E. R. A. 645 du Centre National de la Recherche Scientifique).

INTRODUCTION

I. — LES SOURCES DE NOTRE CONNAISSANCE DE S. PATRICK

Quiconque examine ce qu'il est possible de savoir de saint Patrick saisit rapidement que les documents qui se présentent à notre investigation forment deux groupes : 1) les ouvrages mêmes de Patrick ; 2) les traditions ultérieures. Nous allons les considérer à tour de rôle.

1. Les ouvrages de saint Patrick

Les critiques contemporains sont pratiquement unanimes et les critiques antérieurs étaient presque unanimes à affirmer l'authenticité de deux des ouvrages attribués à Patrick : la *Confession* et la *Lettre à Coroticus* et nous ne perdrons pas de temps à défendre leur authenticité. Toute conclusion qu'on peut en tirer au sujet de Patrick est donc de la première et de la plus haute importance. Mais, à côté de ces deux ouvrages, d'autres, presque tous en latin, ont été attribués à Patrick et certains critiques ont pris cette attribution au sérieux :

— Trois brèves sentences appelées les *Dicta Patricii* ont été mises en tête d'une partie du *Liber Angeli* (voir ci-dessous p. 13). L'une d'elle est un fragment de l'*Épître* (*chap. 17*), auquel on a ajouté les mots *Deo gratias*. L'authenticité, partielle ou totale, des deux autres a jadis été défendue par plusieurs critiques, tels que J. Bury, E. MacNeill et P. Grosjean, plus récemment par L. Bieler. Mais le style de ces sentences, qui diffère de celui de Patrick, et leur contenu, qui suggère une époque plus tardive que le ve siècle, semblent des arguments décisifs contre leur authenticité [1].

— Les mêmes objections décisives doivent être faites à quelques fragments provenant de soi-disant lettres de Patrick et conservés par des traditions ultérieures [2].

— Trois documents prétendent transmettre le texte de canons synodaux composés par Patrick avec d'autres évêques :

• Le premier, appelé *Synodus I S. Patricii*, est une soi-disant lettre circulaire de Patrick et de deux coévêques, Auxilius et Iserninus : son authenticité a été soutenue par J. Bury, J. F. Kenney, E. MacNeill, T. F. O'Rahilly et L. Bieler ; mais leurs arguments ont été réfutés par la critique de D. A. Binchy et de Kathleen Hughes. Mieux vaut donc le considérer comme le produit d'une époque plus tardive [3].

• Un canon unique, faisant appel à l'église d'Armagh et, à défaut, au siège de Rome, se trouve dans la partie du *Livre d'Armagh* qu'on appelle le *Liber Angeli* (ci-dessous p. 13), à la suite d'une liste de canons sans aucun doute ultérieurs. E. MacNeill et L. Bieler ont soutenu l'authenticité de ce canon, J. Bury était prêt à l'admettre. L'argumentation contraire de D. A. Binchy, rejetant l'originalité de ce canon, convaincra la plupart des critiques [4].

---

1. Texte latin dans *LEB* 1, p. 104-105 ; traduit en anglais *ACW* 17, p. 49. On en trouvera une discussion dans *LP*, p. 228-233, L. BIELER, *The Life and Legend of St. Patrick*, p. 129, note 14 (où l'on trouvera également la bibliographie récente sur ce sujet) et dans *ACW* 17, p. 95-96 ; de même, P. GROSJEAN, *AB* 63, 1945, p. 91, et D. A. BINCHY, *PB*, p. 42-43.
2. Textes latins rassemblés dans *LEB* 1, p. 103-104 ; trad. angl. de certains dans *ACW* 17, p. 48. Discussion : P. GROSJEAN, « Notes sur les documents anciens concernant S. Patrice », *AB* 62, 1944, p. 44-46 et 51-60 ; L. BIELER, *The Life and Legend*, p. 94 s. ; *ACW* 17, p. 94-95 ; T. F. O'RAHILLY, *The Two Patricks*, p. 29 ; *PB*, p. 43-44.
3. Texte : H-&-S II, p. 328-331 ; trad. angl. : *ACW* 17, p. 50-54. Discussion : *LP*, p. 233-235 ; *Sources*, p. 169-170 ; T. F. O'RAHILLY, *The Two Patricks*, p. 23 ; L. BIELER, *Life and Legend*, p. 34, 75-77 ; *PB*, p. 45-49 ; Kathleen HUGHES, *The Church in Early Irish Society*, p. 45-50 ; *The Bishops' Synod*, éd. M. J. Faris, Liverpool 1976.
4. Texte : H-&-S II, p. 332 et *PB*, p. 50. Discussion : *LP*, p. 168 s.,

· Le recueil de canons, connu sous le nom de *Synodus II S. Patricii*, est actuellement universellement attribué à une époque plus tardive [1].

A ces documents nous pouvons joindre trois poèmes qui ont été mis en relation avec Patrick :

— Un poème latin à acrostiches, en vers rythmiques non quantitatifs, connu sous le nom de « Hymne de S. Secundinus » ; il se trouve dans plusieurs manuscrits, dont le plus ancien est l'antiphonaire de Bangor, écrit entre 680 et 691 à Bangor, comté de Down [2]. C'est un éloge de Patrick, en termes ampoulés. Le premier à l'attribuer à Secundinus (Sechnall en irlandais) est le *Martyrologe d'Oengus*, écrit vers 800. D'après une tradition ultérieure, Secundinus, alors évêque, aurait accompagné Patrick, lorsque, évêque, il débarqua en Irlande. Cet hymne manifeste une étroite relation à la Confession de Patrick. Pour certains, J. Bury, E. MacNeill, P. Grosjean et L. Bieler, par exemple, il est contemporain de Patrick et écrit par Secundinus. D'après O'Rahilly cependant, son objet est Palladius (ci-dessous p. 31) et non Patrick. Mais les objections de J. F. Kenney, D. A. Binchy et d'autres à la datation de cet hymne au Ve siècle et à son attribution à Secundinus, semblent irréfutables : d'après les *Annales irlandaises*, en effet, Secundinus mourut plusieurs années avant Patrick. Si, dans cet hymne, Secundinus manifeste connaître la *Confession* de Patrick, alors cette *Confession* a dû être écrite bien des

---

371 ; E. MacNeill, « St. Patrick » dans *St. Patrick* éd. J. Ryan, Dublin 1958, p. 74 ; L. Bieler, *The Life and Legend*, p. 34, 38 ; *PB*, p. 49-52.

1. Voir *Sources*, p. 245 ; tous ces documents sont reproduits dans le texte latin original par H-&-S II, p. 28-38.

2. Texte édité par L. Bieler, « The Hymn of St. Secundinus », coll. *PRIA*, C 55, 1953, p. 117-127 ; H-&-S II, p. 324-327 ; également (avec trad. angl.) dans J. H. Bernard et R. Atkinson, *The Irish Liber Hymnorum*, Londres 1898 ; trad. angl. également dans *ACW* 17, p. 61-65. Discussion : *LP*, p. 117, 246-247 ; *Sources*, p. 258-260 ; E. MacNeill, « The Hymn of St. Secundinus in honour of St. Patrick », *Irish Historical Studies* II, 1939-1940, p. 129-153 ; P. Grosjean, *AB* 63, 1945, p. 110 s. ; T. F. O'Rahilly, *The Two Patricks*, p. 27, 28 ; *PB*, p. 52-56.

années avant la mort de Patrick, conclusion qui soulève de graves difficultés de chronologie. Objection plus sérieuse encore : Patrick, qui avait de lui-même une opinion plus basse qu'il n'est normal, n'aurait pas toléré la composition d'un éloge de lui-même et sa publication de son vivant — surtout si les difficultés chronologiques font conclure que c'est Patrick qui cite l'hymne dans la *Confession* plutôt que l'inverse. Objection décisive enfin : Patrick n'eut à aucun moment d'évêque auxiliaire pour l'assister dans sa mission en Irlande, nous le verrons plus loin. Mieux vaut donc voir dans cet hymne la plus ancienne attestation, datant peut-être du début du VIIe siècle, du culte de Patrick en Irlande ; il ne mentionne aucun miracle mais suggère que les travaux de Patrick furent uniformément couronnés de succès.

— L'autre poème, bien connu sous le nom de « Cuirasse » de S. Patrick ou *Lorica*, est un hymne ou une incantation en irlandais, sous la forme d'une invocation pour demander, au milieu des dangers, l'aide de la Sainte Trinité [1]. Cette forme, bien connue de l'ancienne Église bretonne, s'inspire de prototypes païens ; ce poème n'en est pas l'unique exemplaire couramment admis dans l'Église irlandaise. Son attribution à Patrick a été soutenue par certains ; mais l'argument décisif contre cette attribution, c'est la langue dans laquelle il est écrit : des experts en vieil irlandais trouvent fort difficile, sinon impossible, de faire remonter la langue de la *Lorica* au Ve siècle et sont plutôt enclins à la dater du VIIIe.

— La même remarque vaut pour l'ancien hymne irlandais appelé « Hymne de Fiacc » ou *Genair Patraic* [2] dont la langue ne peut guère remonter au delà du VIIIe siècle.

1. Texte : W. Stokes et J. Strachan, *Irische Texte*, t. I, p. 52-58 (Leipzig 1880) ; W. Stokes, *The Tripartite Life of St. Patrick*... II, p. 386-389 ; avec trad. angl. : H-&-S, II, p. 320-323. Trad. angl. seule : N. J. D. White, *St. Patrick, his Writings and Life*, p. 64-67 ; *ACW* 17, p. 68-72. Discussion : *Sources*, p. 272-274, *ACW* 17, p. 67-68 ; D. A. Binchy, *Ériu* XX, 1966, p. 234-237.

2. Texte irlandais avec trad. angl. : H-&-S II, p. 356-361 ; voir aussi *Sources*, p. 339-340.

Il faut donc conclure qu'il n'y a pas de documents que l'on puisse raisonnablement attribuer à Patrick, à part la *Confession* et l'*Épître*. Cela admis, il s'agit de comprendre, en outre, qu'eux exceptés il n'existe absolument aucun document concernant Patrick qui n'ait été écrit au moins un siècle et demi après sa mort.

2. Traditions plus tardives sur S. Patrick

Les traditions ultérieures peuvent être réparties entre les soi-disant vies de Patrick et les mentions de Patrick dans les *Annales irlandaises*. La partie la plus importante de ces documents et à l'authenticité de laquelle on s'est le plus fié se trouve dans le manuscrit latin appelé *Livre d'Armagh* [1], une compilation d'un certain nombre d'écrits d'origines diverses, copiée sous sa forme actuelle vers 807 à Armagh par un scribe du nom de Ferdomnach († 845). Il contient, entre autres, une vie de Patrick par un certain Muirchú Maccu Machtheni (habituellement cité comme Muirchú) que l'on peut dater sans hésitation de la seconde moitié du VIIe siècle. Le *Livre d'Armagh* contient également une vie, ou du moins les éléments d'une vie de Patrick par un évêque du nom de Tírechán — également d'Armagh et contemporain de Muirchú [2]. Bien que Muirchú ait mani-

---

1. Édité par J. Gwynn, Dublin 1913. Voir son Introduction et *Sources*, p. 337-339, 642-644. Le *Livre d'Armagh* renferme, entre autres, la plus ancienne copie connue de la *Confession*, copie incomplète : voir ci-dessous p. 61. Voir aussi *Facsimiles... of Irish Manuscripts* III, *Book of Armagh, The Patrician Documents*, éd. J. Gwynn, Dublin 1937.

2. Le texte latin des *Vies* de Muirchú et de Tírechán est reproduit par Whitley Stokes dans *The Tripartite Life of St. Patrick...*, t. II ; une traduction anglaise de la vie de Muirchú a été publiée par N. J. D. White dans *Libri Sancti Patricii*, coll. *PRIA*, C 35, 1905, p. 72-109. En plus du *Livre d'Armagh*, il y a, pour les ouvrages de Muirchú, un manuscrit à Bruxelles et deux fragments de la fin du VIIIe siècle à l'*Oesterreichische Nationalbibliothek* de Vienne, et, pour les matériaux rassemblés par Tírechán, un manuscrit à la *Bodleian Library* d'Oxford. Pour Muirchú, voir également *Sources*, p. 331-334, et, pour Tírechán, *ibid.*, p. 329-331 et 334-335. Voir aussi L. Bieler, « Studies in the Text of Muirchú », dans *PRIA*,

festement connu la *Confession*, son ouvrage prétend fournir
sur Patrick un certain nombre de renseignements historiques qu'on ne pourrait pas déduire de ses écrits : ainsi,
le nom de sa mère, une relation de sa formation ecclésiastique à Auxerre en Gaule sous Germain (évêque d'Auxerre
418-448), de son envoi en Irlande par Germain, de sa consé-
cration épiscopale en un autre lieu de la Gaule par un
évêque du nom d'Amathorex, que certains ont identifié
avec le prédécesseur de Germain à Auxerre, l'évêque Ama-
tor. Muirchú fait également le récit du débarquement en
Irlande de Patrick, qui aurait été accompagné de deux
prêtres, Auxilius et Iserninus, et d'autres encore dont les
noms ne sont pas indiqués : avec la tradition tardive presque
unanime, il estime que cette arrivée eut lieu après l'échec
de la mission de Palladius [1]. Puis il relate la suite du ministère de Patrick avec sa venue au lieu de son ancienne captivité, près de la montagne qui porte actuellement le nom
de Slemish, au comté d'Antrim, et sa visite à Miliucc,
jadis son maître, lorsque Patrick était esclave en Irlande.
Muirchú est enfin le premier à relater la fameuse histoire
de la rencontre victorieuse de Patrick avec Loegaire, dont
il fait un roi d'Irlande, rencontre qu'il situe à l'époque de
Pâques, sur la colline de Tara, au comté de Meath. Dans la
plus grande partie de son ouvrage, il limite l'activité de
Patrick au Nord-Est de l'Irlande et il décrit la fondation de
l'église d'Armagh.

Le récit de Tírechán prétend également nous donner des
renseignements sur la vie personnelle de Patrick : ses différents noms et sa captivité chez Miliucc près de Slemish,
par exemple. Il raconte qu'après sa captivité et avant de
revenir en Irlande comme évêque, Patrick voyagea beaucoup en Gaule, en Italie et dans les îles de la mer Tyrrhé-
nienne, et qu'il passa trente ans dans une de ces îles du

C 59, 1959, p. 181-198 ; « Muirchú's Life of Patrick as a Work of
Literature » dans *Medium Aevum*, XLIII, 1974, p. 220 ; « Tírechán
als Erzähler » dans *Bayerische Akademie der Wissenschaften*, Phil.
hist. Kl. 1974, p. 5-32. On attend l'édition des *Vies* de Muirchú et
de Tírechán par L. Bieler.

1. Voir ci-dessous p. 31.

nom d'*Aralanensis*. Patrick vint en Irlande, selon lui, accompagné d'un grand nombre d'évêques, prêtres, diacres et autres clercs : beaucoup de noms sont cités, à commencer par celui de Benignus, et, parmi d'autres évêques, Miserneus, Secundinus et Auxilius. Le récit de Tírechán met également Patrick en contact avec Loegaire et lui fait faire le tour de l'Irlande, en accomplissant des miracles et fondant des églises. Dans les appendices variés qui font suite à l'ouvrage de Tírechán — ces *Additamenta* sont écrits partiellement en latin mais surtout en irlandais [1] —, on trouve un récit du séjour de Patrick et d'Iserninus dans la ville d'Olsiodora (Auxerre ?). De toute évidence, Tírechán connaît bien la *Confession*. Mais, si la vie de Muirchú est parée des miracles et incidents merveilleux propres à l'hagiographie, celle de Tírechán l'est encore bien plus.

Un nouveau degré de merveilleux est atteint par un document du *Livre d'Armagh* appelé le *Liber angeli* [2], supposé renfermer les ordres qu'un ange donna à Patrick au sujet des affaires ecclésiastiques. Mais le folklore et l'imagination atteignent un développement plus considérable encore dans la *Vita Tripartita*, un document écrit partiellement en latin mais surtout en irlandais et où l'histoire de Patrick a été enrichie de toutes les ressources de l'hagiographie. La date de cet ouvrage a été fort discutée ; par un examen approfondi des manuscrits, Kathleen Mulchrone a déterminé que l'original a été composé entre 895 et 901, bien que les manuscrits actuels présentent une recension longue et une recension brève, plus tardive [3]. D'après cette vie, Patrick aurait rendu visite au pape Célestin Ier (423-432) et étudié à Rome sous Germain, il aurait été amené à Tours

---

1. Voir *Sources*, p. 334-335.
2. *Ibid.*, p. 335-337.
3. Kathleen MULCHRONE, « Die Abfassungszeit und Ueberlieferung der Vita Tripartita », dans *Zeitschrift für Celtische Philologie*, XVI, 1927, p. 1-94. Le texte complet a été publié par W. Stokes, *op. cit.*, t. I, mais sous une forme qui ne donne pas entière satisfaction ; les fragments irlandais ont été édités par Kathleen Mulchrone dans *Bethu Phátraic, The Tripartite Life of St. Patrick*, t. I, *Text and Sources*. Voir également *Sources*, p. 342-343.

pour devenir moine avec Martin et aurait passé quelque temps auprès de Germain à Auxerre.

Nous possédons, à côté de ces documents, plusieurs vies tardives de Patrick de provenances très diverses et s'échelonnant du ixe au xive siècle. Bien qu'aucune d'elles ne paraisse renfermer le moindre renseignement historique original, il est utile de les comparer aux manuscrits des deux ouvrages de Patrick, parce que leurs auteurs les ont lus, que ce soit l'un d'eux ou tous deux [1].

Parmi les sources tardives sur Patrick, il faut enfin mentionner les *Annales irlandaises* [2], un recueil de chroniques diverses sur des événements tant ecclésiastiques que séculiers, remontant à une époque reculée et se poursuivant fort longtemps, six cents ans, dans certains cas. Rédigées par une succession d'auteurs surtout monastiques, ces chroniques constituent une des principales sources, si ce n'est la principale source, de l'histoire de l'Irlande au Moyen Age. Elles ont été écrites en irlandais et en latin. Leurs articles sont, pour la plupart, décousus et brefs. Toutes les *Annales* qui prétendent se rattacher au ve siècle mentionnent Patrick. Elles donnent des renseignements sur la date de sa naissance, sa captivité en Irlande, son débarquement comme évêque. Elles parlent de son approbation ou de sa confirmation par le pape Léon Ier, des noms de certains de ses compagnons, de son recueil des lois d'Ir-

1. Pour une liste de ces *Vies*, voir *Sources*, p. 341-346, et L. Bieler, *Codices Patriciani Latini*, p. 21-41, dont le second est particulièrement complet. Voir également l'édition de Bieler, *Four Latin Lives of St. Patrick* (Dublin 1971) ; du même auteur, « Bethu Phátraic », dans *Anzeiger der phil.-hist. Kl. der Oesterreichischen Akademie der Wissenschaften* 111, 1974, p. 253-273.

2. On peut lire quelques-unes des *Annales* dans les éditions suivantes : *Annals of Ulster*, éd. W. M. Hennessy et B. MacCarthy, Dublin 1887-1901 ; *Annals of Lough Cé*, éd. W. M. Hennessy, Dublin 1871 ; *Annals of Inisfallen*, éd. S. MacAirt, Dublin 1951 ; *Annals of Clonmacnoise*, éd. D. Murphy, Dublin 1896 ; *Annals of Connacht*, éd. M. W. Freeman, Dublin 1944 ; *Annals of the Kingdom of Ireland by the Four Masters*, éd. J. O'Donovan et (t. IV) B. MacCarthy, Dublin 1901 ; « Annals of Tigernach », éd. W. Stokes, *Revue Celtique* 16-18, 1895-1897 ; *Chronicles of the Picts and Scots*, éd. W. F. Skene, Édimbourg 1867.

lande et de sa mort. Mais elles diffèrent considérablement les unes des autres au sujet de la date de la naissance de Patrick et montrent une grande confusion pour celle de sa mort : d'après les unes, ce serait vers 461 ; d'après d'autres, entre 489 et 496. Certaines font mourir avant Patrick un personnage appelé « Patrick l'Ancien » (en irlandais : *Sen-Phátric*) ; ce Patrick l'Ancien apparaît également dans le *Martyrologe d'Oengus* et, en tant que « l'autre Patrick », dans l'*Hymne de Fiacc* et en deux ou trois autres textes du haut Moyen Age irlandais. Sur un point cependant toutes les *Annales irlandaises* s'accordent : elles établissent toutes un lien entre l'arrivée en Irlande de Patrick, comme évêque, et l'échec de la mission de Palladius dans l'île (ci-dessous p. 31) ; pour ce motif, elles s'accordent aussi à fixer le début de la mission de Patrick en 432. Les *Annales* prétendent naturellement aussi donner un certain nombre de renseignements sur des événements séculiers du ve siècle, comme sur les agissements de « Níall des neuf otages » ou ceux de Loegaire, grand roi d'Irlande.

La valeur historique de ces traditions tardives a fait l'objet d'appréciations très différentes. Du xvie au xviiie siècle, on était enclin à les accepter presque toutes sans critique et à effacer leurs incompatibilités de manière à construire une vie cohérente. Le xixe siècle a vu paraître chez plusieurs une attitude plus critique, en particulier chez J. H. Todd [1] et H. Zimmer [2]. Mais, si l'historien remarquable que fut J. B. Bury a inauguré, par son livre *The Life of St. Patrick* (1905), une nouvelle étape des études sur Patrick, il acceptait cependant comme dignes de foi une quantité étonnante de traditions tardives. Il en concluait, par exemple, que Patrick avait reçu sa formation ecclésiastique en Gaule, probablement à Lérins, qu'il fut envoyé en Irlande comme évêque par le pape Célestin, qu'à la fête de Pâques il rencontra, à Tara, Loegaire, alors grand roi, qu'il était

1. J. H. Todd, *St. Patrick, Apostle of Ireland*, Dublin 1864.
2. H. Zimmer, « Keltische Kirche in Britannien und Irland », dans *Realencyclopädie für protestantische Theologie und Kirche*, t. X, 1901, p. 204-243.

accompagné par certains des personnages cités dans les traditions tardives et même qu'il révisa les lois d'Irlande. A partir de 1905, beaucoup de savants ont suivi les traces de Bury : parmi les plus remarquables d'entre eux, N. J. D. White, E. MacNeill, P. Grosjean et L. Bieler. Plus récemment toutefois s'est manifestée une tendance à rejeter presque entièrement les informations transmises par les vies, quitte à accepter celles des *Annales* : ainsi T. F. O'Rahilly [1] et J. Carney. Plus récemment encore est apparue une école de savants qui, refusant presque toute valeur historique à la tradition tardive dans son ensemble, vies et *Annales*, demande que les témoignages sur la vie et le ministère de Patrick soient tirés en tout premier lieu de ses propres œuvres ou d'autres documents du vᵉ siècle. Le grand protagoniste de cette attitude critique est D. A. Binchy, dont l'essai « Patrick and his Biographers », paru en 1962 dans *Studia Hibernica*, marque un tournant dans cette étude. Nous l'avons suivi pour les motifs suivants :

— Il est possible de démontrer que beaucoup de vies sont inspirées par des motifs idéologiques. Tírechán, par exemple, avait certainement intérêt à glorifier Patrick pour élargir le domaine et accroître l'autorité du monastère d'Armagh et de ses dépendances au détriment de l' « empire » et de l'influence de S. Columba.

— On n'a aucune preuve valable de l'existence d'un document ou d'une relation écrite concernant Patrick — à part la *Confession* et l'*Épître* — dont les vies s'inspireraient. Il est, au contraire, certain que les vies doivent être classées sous la rubrique « hagiographie ». Or l'hagiographie irlandaise a une réputation particulièrement fâcheuse.

— Il semble que, dans les *Annales irlandaises*, l'histoire du vᵉ siècle, tant séculière qu'ecclésiastique, est le produit de conjectures ou d'inventions de la part des chroniqueurs

---

1. *The Two Patricks* (1942) : s'appuyant sur des témoignages en faveur de « Patrick l'Ancien », il en déduisait que les traditions sur Palladius s'étaient mêlées à celles sur Patrick et il proposait d'attribuer à Palladius un ministère long et laborieux antérieur à celui de Patrick, dont il situait l'activité en Irlande dans la seconde moitié du vᵉ siècle.

ecclésiastiques, qui écrivaient longtemps après la période qu'ils relataient et qui n'avaient guère, comme source d'information, que du folklore — exception faite des histoires ecclésiastiques de l'Église ancienne, comme celle d'Eusèbe traduite par Rufin, qui ne faisaient évidemment aucune mention de l'Irlande. Ainsi, bien que Loegaire ait vécu au ve siècle, il est fort peu probable qu'il ait été grand roi en Irlande — et même qu'il y ait eu un grand roi à cette époque —, ou qu'on ait célébré une fête nationale de Tara, à laquelle il aurait rencontré Patrick.

— Les œuvres de Patrick attestent qu'il a reçu sa formation ecclésiastique en Bretagne et non en Gaule et que c'est de Bretagne et non de Gaule qu'il fut envoyé comme évêque en Irlande (voir p. 37). Il faut donc considérer avec beaucoup de défiance tous les récits tardifs sur ses contacts avec Auxerre et Germain, Lérins et le pape Célestin.

On attribuera donc une importance primordiale à tout renseignement que la *Confession*, l'*Épître* et les sources contemporaines de Patrick pourront fournir sur son milieu et le contexte où il se situe et on n'acceptera que rarement et avec circonspection de compléter ces informations par des traditions plus tardives [1].

1. Les ouvrages de J. B. Bury, T. F. O'Rahilly et D. A. Binchy mentionnés plus haut sont une bonne introduction aux principales questions. Ceux de L. Bieler (*The Life and Legend of St. Patrick*) et de R. P. C. Hanson (*St. Patrick, his Origins and Career*) fournissent une information complémentaire. On pourra également trouver dans M. Esposito, « The Problem of the Two Patricks » (dans *St. Patrick*, éd. J. Ryan, Dublin 1958) et dans R. P. C. Hanson, *St. Patrick a British Missionary Bishop* (Nottingham 1965), des relations succinctes des recherches entreprises à ce sujet. Deux ouvrages sont d'un intérêt exceptionnel pour les Annales : K. Hughes, *Early Christian Ireland*, et J. Bannerman, *Studies in the History of Dalriada*, Édimbourg 1974.

II. — DATES DE PATRICK

Plusieurs indices nous permettent de fixer le ministère de Patrick au vᵉ siècle :

— Le *solidus*, la pièce d'or que fit frapper Constantin, était devenu d'un usage courant, connu de Patrick (*Ep.* 14, 3 et note) : il faut sans doute attendre, pour cela, la première moitié du vᵉ siècle.

— S'il était possible d'admettre comme démontrée l'assertion de L. Bieler, pour qui le texte biblique utilisé dans la *Confession* et dans l'*Épître* manifeste une certaine familiarité avec la Vulgate du Nouveau Testament, on pourrait fixer sans hésitation la formation ecclésiastique de Patrick aux environs de 420 : en effet, pour qu'un texte comme celui de Jérôme soit parvenu jusqu'au lieu où Patrick fut formé, il a fallu au moins vingt ans, et plutôt trente ou quarante. Mais l'affirmation de Bieler a été controversée [1].

— Pour la fin de son ministère, nous avons une limite dans une allusion de Patrick aux Francs encore païens (*Ep.* 14, 2-3). Or nous savons que les Francs devinrent officiellement chrétiens en 496. Patrick a donc dû écrire sa *Lettre à Coroticus* [2] avant cette date.

Mais nous sommes en mesure de réduire la marge des dates possibles : le père de Patrick était décurion (*Ep.* 10, 7), c'est-à-dire membre du conseil local d'une ville de Bretagne et, par son ordination au diaconat (*Conf.* 1, 3) [3], il parvint sans doute à esquiver la charge de percevoir des impôts, à

---

1. Voir L. Bieler, Der Bibeltext des heiligen Patrick (dans *Biblica* XXVIII, p. 31-38, 239-263) et la recension du *Libri epistolarum* de Bieler par K. Mras dans *Anzeiger für die Altertumswissenschaft* 8 (1955), p. 73. J. B. Bury et N. J. D. White s'étaient adonnés auparavant à l'étude de ce sujet.

2. Quelques savants ont cru trouver un indice dans la date que l'on peut assigner à l'un des rares contemporains que Patrick désigne par son nom, Coroticus. Mais, comme nous allons le voir (p. 41-42), c'est par Patrick qu'il faut dater Coroticus et non l'inverse.

3. Ce sujet a été discuté en détails dans *POC*, p. 176-179.

un moment où s'était relâché en Bretagne le contrôle théoriquement strict du gouvernement romain ; on pourrait envisager de fixer, d'après cela, la naissance de Patrick à la fin du IVe siècle, peut-être vers 390.

Patrick admet, d'autre part, explicitement que, dans sa jeunesse, il était possible de recevoir en Bretagne une éducation et une instruction supérieures, non seulement auprès du *magister ludi* et du *grammaticus*, mais auprès du *rhetor*, et que les contemporains auxquels il s'adresse dans sa *Confession* (9-11 et 13) avaient joui de ce privilège, bien que lui-même n'en ait pas joui. Nous croyons sans peine qu'un enfant élevé en Bretagne au cours des dernières années du IVe siècle ou des premières années du Ve a pu faire de telles suppositions. Mais il est fort peu probable que de pareilles possibilités de formation aient subsisté après 420 en Bretagne ou en Gaule, et c'est pratiquement inimaginable après 430 [1].

De plus, Patrick parle « des Gaules » (*Conf.* 43, 4) et « des Bretagnes » (*Conf.* 23, 1 ; 32, 4 ; 43, 2) au pluriel : par « les Gaules », il entend sans doute au moins le diocèse de la préfecture des Gaules comprenant les provinces *Lugdunensis I, II, III, IV, Belgica I, II, Germania I, II* et *Maxima Sequanorum* et, par « les Bretagnes », les provinces romaines établies en Bretagne sous Dioclétien. Ces allusions aux Gaules et aux Bretagnes fournissent un nouvel indice de la nécessité de dater la plus grande partie de son existence de la première moitié du Ve siècle, avant qu'on ait oublié le temps (avant 408) où la Bretagne faisait encore partie de l'Empire romain et avant que les invasions d'armées barbares en Gaule et l'établissement permanent de barbares régis par leurs propres rois indépendants de l'empereur aient complètement effacé les anciennes divisions territoriales : si ces désignations étaient correctes et usuelles au temps de la jeunesse de Patrick, il peut en avoir gardé l'habitude dans sa vieillesse.

---

1. Voir H. I. Marrou, *Histoire de l'éducation dans l'antiquité*, Paris 1948, p. 452-453 ; P. Riché, *Éducation et culture dans l'Occident barbare*, Paris 1962, p. 51, 254.

Le fait que les Gaulois aient eu coutume de racheter les prisonniers (*Ep.* 14, 1-4) et que les Bretons ne l'aient pas fait — comme ils n'ont pas racheté Patrick lui-même — est sans doute aussi un indice en faveur de la première moitié du Vᵉ siècle, où la Bretagne subissait des raids sporadiques, non une invasion de grande envergure. L'Église bretonne profitait alors de son immunité relative pour atteindre un développement et une prospérité que l'Église de Gaule, aux prises avec les invasions et les déprédations barbares, peut lui avoir enviés. C'est à une telle époque qu'il paraît normal de fixer l'envoi par cette Église d'une mission en Irlande en la personne de Patrick. Plus tard, sans interrompre tout commerce entre la Bretagne, la Gaule et l'Irlande, les mouvements des armées barbares en Gaule et les soucis causés aux Bretons par les invasions des Saxons, venus dans le pays avec l'intention de s'y installer, entraveront sérieusement l'effort missionnaire et les communications entre Églises [1]. Or Patrick passa certainement un temps considérable en Irlande en gardant des rapports ininterrompus avec la Bretagne et il ne paraît pas même imaginer que des circonstances extérieures, telles qu'invasions, guerres civiles ou mouvements d'armées risquent de l'empêcher de rendre visite à ses amis de Bretagne ou de Gaule (voir *Conf.* 43, 2-5).

On retrouve enfin partout dans son œuvre la certitude de vivre les derniers jours du monde (*Conf.* 34, 13.17 ; *Ep.* 5, 5). Une telle conviction, souvent exprimée par le dicton — que Patrick n'emploie pas — *totus mundus perit*, fut largement répandue après la prise et le sac de Rome par Alaric en 410. Un missionnaire travaillant quelque vingt ou trente ans après ces événements a pu conserver une telle impression. Mais plus nous plaçons Patrick tard au Vᵉ siècle et plus l'expression d'une telle idée devient invraisemblable.

Nous pouvons donc nous appuyer avec confiance sur cette convergence de probabilités pour conclure que l'activité de Patrick se situe dans la première moitié du Vᵉ siècle,

---

1. Pour l'histoire de cette période, voir *POC*, chap. 1 et 2.

plutôt que dans la seconde. Il ne convient pas de placer sa mort beaucoup plus tard que 460 ni sa naissance long-temps avant 390. Des preuves certaines infirment donc les théories qui dataient son ministère épiscopal en Irlande du IVe siècle, du début du Ve ou, au contraire, de la seconde moitié du Ve siècle, en le faisant durer jusqu'en 480 ou 490.

III. — VIE DE PATRICK

Bien que nous ne possédions pas assez de renseignements pour reconstituer une biographie de Patrick, les grandes lignes de sa vie peuvent être déduites de ses écrits :

1. Enfance en Bretagne

Patrick est né dans la Bretagne romaine d'une famille qui gardait encore, dans la vie de tous les jours, l'usage de la langue bretonne. Depuis longtemps déjà les Bretons romanisés étaient chrétiens, quoique leur conduite l'ait parfois démenti. Ils méprisaient les Irlandais (*Ep.* 16, 7-8) et les considéraient comme des étrangers (*Conf.* 1, 14 ; *Ep.* 10, 9), des « ennemis qui ne connaissent pas Dieu » (*Conf.* 46, 11-12). Aussi les Bretons, soldats de Coroticus, devaient-ils se sentir humiliés de se voir associés, à cause de leur crime, aux Scots et aux Pictes [1].

Les Pictes sont mentionnés pour la première fois en 297 par le panégyriste Eumène. Ce n'est que beaucoup plus tard, vers 600, que nous apprenons d'Isidore de Séville que ce peuple attribuait son nom de « peuple peint » à son habitude de se tatouer ; il n'y a pas de motif pour mettre en doute cette étymologie ; nous ignorons quel nom ils se donnaient eux-mêmes et nul n'a proposé de meilleure interprétation du nom de *Picti*. Si l'on sait peu de chose d'eux pour la période allant de 300 à 550, ils sont mieux connus à partir du vi^e siècle. C'est, en effet, à partir du milieu du vi^e siècle que les informations renfermées dans la *Chronique Picte* peuvent être considérées comme historiques. Le royaume des Pictes subsista à partir de cette époque jusqu'à ce qu'il fût absorbé, sous Kenneth McAlpin (vers 843), dans le royaume d'Écosse, qui englobait des Angles, des Pictes et des Scots. Au viiie siècle, Bède reconnaît (*Hist. Eccl.*, III, 6) dans les Pictes un des quatre peuples

---

1. Voir ci-dessous, p. 51, l'attitude de Patrick à l'égard des Bretons et des Irlandais.

de la Bretagne, avec les Bretons, les Scots et les Angles. Le royaume
picte se situait au nord de la ligne allant du Firth of Clyde au Firth
of Forth, territoire où ils demeuraient probablement déjà auparavant. Ils paraissent avoir pratiqué le matriarcat, ce qui fait
penser que les non-Celtes étaient nombreux parmi eux. Leur
langue n'a pas été déchiffrée, à peine a-t-elle été identifiée : nous
ignorons donc si elle était celte. Il ne faut sans doute pas considérer les Pictes comme une race, mais plutôt comme un peuple
fait de divers groupes raciaux qui s'amalgamèrent peu à peu
entre 300 et 600. Il y en eut peut-être dès l'an 200 parmi les peuples
que les écrivains grecs et romains appelaient *Caledones* et *Maea-
tae* et, plus tard, *Caledones* et *Verturiones* (au ive siècle, Ammien
Marcellin mentionne les *Dicalydones* et les *Verturiones*) ; au
vie siècle, on distinguait les Pictes du nord et ceux du sud. La
présence de Pictes au sud de la Clyde et de la Forth est contestée.
Les Irlandais donnaient aux Pictes le nom de *Cruithin* — quoiqu'il ne soit pas sûr que *Cruithin* soit l'équivalent exact de Picte —
et les Gallois celui de *Prydyn*. On peut probablement dater du
royaume picte un certain nombre de pierres et de croix commé-
moratives gravées. On ignore si les Pictes ont quelque rapport
avec les curieuses forteresses rondes en pierre, appelées *brochs*, et
avec les maisons souterraines, en pierre également, appelées *weems*,
que l'on trouve en différentes parties de l'Écosse du nord : on
admet, en général, qu'elles sont antérieures au royaume picte. De
bonne heure, les Pictes se sont signalés par leurs raids contre
l'Empire romain, en particulier au cours de la *barbarica conspiratio* de 367, où eux-mêmes, ainsi que d'autres pirates, s'avancèrent
au sud jusqu'à Londres. D'après la manière dont Patrick les mentionne, il les considérait comme des barbares étrangers à la civi-
lisation romaine et, malgré le qualificatif d'*apostats* (*Ep.* 2, 6 ; 15,
10), il est fort probable qu'ils n'étaient pas chrétiens. La théorie
qui veut que quelques Pictes aient été convertis dans la première
moitié du ve siècle par Ninian, établi alors à Whithorn, est discutée. Ce n'est qu'après 496 environ, quand le royaume irlandais de
Dalriada fut établi dans le comté actuel d'Argyll et dans quelques-
unes des îles occidentales, et surtout après l'installation de Columba
à Iona dans la seconde moitié du vie siècle, que la plupart des
Pictes ont pu subir l'influence du christianisme [1].

1. Comme on le voit, nous pensons manquer actuellement de
documents pour prouver ou nier la présence de Pictes au sud de la
Clyde à l'époque de Patrick et la conversion d'un certain nombre
d'entre eux par Ninian. Dans notre article de *POC* (p. 62), nous

La famille de Patrick, elle, était bretonne, romanisée et christianisée : son grand-père était prêtre et son père, Calpornius, était diacre (voir p. 165), bien que décurion (*Ep.* 10, 7) et que possédant une *villa* à proximité d'un *vicus* du nom de *Bannauem Taberniae*.

Le père de Patrick était certainement un décurion civil, un *curialis*, membre d'un conseil local responsable de la perception des impôts. Nous devons cependant remarquer que le conseil ou l'*ordo* dont il faisait partie n'était pas celui de Bannauem Taberniae — ou du lieu dont le nom a été corrompu en Bannauem Taberniae —, car Patrick appelle cet endroit un *vicus*. Or, sous l'Empire romain, un *vicus* n'était pas assez important pour avoir un *ordo* ; un *pagus* pouvait en avoir un et, de même, un *canabae*, mais non un *vicus*. Cela signifie que Calpornius était diacre au hameau (*vicus*) Bannauem Taberniae et que nous ignorons le lieu auquel son *ordo* se rattachait.

La théorie de Grosjean (*AB* 63, p. 65-72.76 et *AB* 76, p. 363-364), qui en fait un décurion militaire, est des plus invraisemblables. Un militaire ne pouvait pas recevoir les ordres. De plus, si Calpornius avait été militaire, il n'aurait pu posséder une villa et Patrick aurait été contraint à suivre la même voie. Les lois interdisaient sans doute aux *curiales* de recevoir les saints ordres — ce qui les dispensait de percevoir les impôts — et de garder leurs biens ; mais nous avons la preuve qu'en dépit des lois un grand nombre d'entre eux s'arrangeait pour éviter, par l'obtention des

affirmions, il est vrai, que les Pictes du sud, vivant au sud du royaume de Strathclyde, avaient dû être évangélisés avant celui-ci. Nous partagions alors les vues de A. C. Thomas (« The Evidence from North Britain », dans *Christianity in Britain*, p. 93-121). C'est encore la position adoptée par M. Kerlouégan dans une correspondance privée. Voir, à ce sujet, W. D. Simpson, *St. Ninian and the Origins of the Christian Church in Scotland*, Édimbourg 1940 ; J. MacQueen, *St. Ninian*, Édimbourg 1961. Voir encore sur les Pictes : *Chronicles of the Picts and Scots*, éd. W. F. Skene, Édimbourg 1867 ; *The Problem of the Picts*, éd. T. F. Wainwright, Édimbourg 1955 ; H. M. Chadwick, *Early Scotland*, Oxford 1949 ; T. F. O'Rahilly, *Early Irish History and Mythology* ; C. Thomas, *The Early Christian Archaeology of North Britain*, Oxford 1971 ; Isabel Henderson, *The Picts*. D'anciens textes mentionnant les Pictes ont été rassemblés par A. Holder, *Alt-Celtischer Sprachsatz*, Leipzig 1896-1913, t. II, p. 993-999. Mais ni les collaborateurs de l'ouvrage publié par Wainwright, ni Holder n'a cité Patrick.

saints ordres, les tracas des impôts, tout en gardant les privilèges
des propriétaires.

Alors que l'institution des *curiales* et des décurions survécut en
certains lieux — en Italie et en Espagne notamment — à la chute
de l'Empire romain d'Occident (voir E. A. Thompson, *The Goths
in Spain*, Oxford 1969, p. 29 et 119), parce que les rois barbares
la trouvaient utile à la perception de leurs impôts, il n'y eut pas
d'invasion en Bretagne au début du ve siècle et c'est d'eux-mêmes
que, vers 408, les Bretons s'affranchirent de l'administration
romaine : ce qui dut impliquer non seulement la suppression des
hauts fonctionnaires romains, tels que *comes, dux* et *vicarius*, mais
aussi la fin du système romain de taxation, qui avait dû paraître
aux Bretons un des plus fâcheux éléments de l'administration
romaine. Quand Patrick écrit *decorione patre nascor*, cela signifie
donc que Calpornius était décurion d'un municipe de la Bretagne
romaine, ce que confirme le fait qu'il possédait une *villa*.

Lorsque Patrick quittera la Bretagne pour évangéliser l'Irlande,
l'administration romaine aura disparu et le pays sera divisé en
plusieurs états successeurs de l'Empire romain et encore fortement
marqués par l'organisation impériale, mais gouvernés par des
chefs, probablement appelés *tyranni* [1] — ils peuvent avoir d'eux-
mêmes accepté ce titre — et dont l'autorité sera soutenue par le
contrôle qu'ils exerceront sur les forces armées locales plus que par
une nomination impériale ou une forme quelconque de désignation
populaire ; ils pourront être issus de la noblesse bretonne romanisée et avoir pris, dans bien des cas, comme quartiers généraux,
les capitales des anciennes *ciuitates* de Bretagne (voir *POC*, p. 11-
13 ; *Christianity in Britain 300-700*, p. 87-121). *Reges habet Brit-
tania, sed tyrannos*, affirme Gildas au vi^e siècle (*De excid. Brit.* 27,
66). C'est peut-être la ressemblance avec le mot breton « ti(g)ern »
— en gallois, « teyrn » —, qui signifiait primitivement « maître
de la terre » (voir *POC*, p. 11), qui a incité les Bretons à donner à
leurs princes ce nom emprunté par les Romains aux Grecs, qui
l'avaient eux-mêmes reçu, par l'intermédiaire des Étrusques, des
habitants de l'Italie qui précédèrent tant les Étrusques que les
Grecs. Ce terme n'implique pas forcément injustice ou cruauté,
mais seulement le gouvernement d'un « despote ». Dans l'*Épître*
(6, 4), adressée à l'un d'eux, Patrick cherche sans aucun doute à
faire entendre qu'il est cruel, sans affirmer que son gouvernement

---

1. M. Kerlouégan nous signale l'emploi de ce terme « en Bretagne
armoricaine à l'époque carolingienne pour désigner le chef local
qui exerce un pouvoir de fait, sans délégation officielle ».

soit illégal. Peu après Patrick, Sidoine Apollinaire utilise (*Ep.* V, 8, 3) le terme de *tyrannopolitarum* pour les habitants de Lyon gouvernés despotiquement, par allusion au roi burgonde Gondebaud qui avait mis à mort son frère Chilpéric II avec sa femme et ses enfants, mais il n'a pas l'intention de dire que le gouvernement de Gondebaud ait été illégal. De même Benoît utilise parfois (*Règle* 27, 6 ; 65, 2) le terme de *tyrannis* (tyrannie) pour le gouvernement despotique d'un abbé.

Ainsi donc, dans l'enfance de Patrick, son père était décurion et propriétaire d'une villa romaine, que Patrick désigne par le diminutif *uillula* (*Conf.* 1, 5).

Villula se trouve une fois chez Jérôme (*De situ et nominibus locorum hebraicorum, PL* 23, 936 B) : *Chamoam, uillula iuxta Bethlehem*, où ce mot doit signifier « village ». Mais tel ne peut être le sens dans notre contexte, car Patrick vient de désigner un village par le terme de *uicus*, qu'il distingue nettement de *uillula*. Certains ont voulu traduire *uillula* par « petite ferme » mais on ne trouve rien et en aucun texte qui corresponde à une pareille traduction. Un contemporain de Patrick, Vincent de Lérins, décrit ainsi, en 434, le site de son monastère (*Comm.* 1, 3-4) : « Nous avons pour demeure une *uillula* écartée et, dans cette *uillula*, la retraite d'un monastère. » Le monastère de Lérins devait être situé à l'intérieur d'un domaine (*uillula*) cultivé par des esclaves ou des serviteurs du monastère, ce qui lui assurait l'indépendance économique... Nous pouvons donc être certains que Patrick vivait sur le domaine de son père et, d'après ce que nous connaissons d'autres villas romaines en Bretagne, nous pouvons imaginer un peu à quoi la villa de Calpornius devait ressembler : la villa était le centre d'une exploitation dont les ouvriers habitaient des *tuguriae* ou des *casae*, mais non la villa elle-même ; nous pouvons nous représenter la villa construite en pierre — du moins pour les fondations — et peut-être partiellement en bois dans la partie supérieure, avec une galerie antérieure, des murs intérieurs blanchis ou peints, des sols de ciment, de brique ou de carrelage irrégulier ; certaines villas se sont peut-être enorgueillies de sols en mosaïque. Le toit était de tuiles, d'ardoises ou d'éclats de pierres. Les fenêtres ont pu être pourvues de vitres. Peut-être y avait-il des hypocaustes sous plusieurs chambres et des bains. A côté de la maison de maîtres, on devait disposer de granges et d'étables, d'une aire à battre le grain et d'un puits (A. L. F. Rivet, *Town and Country in Roman Britain*, 2e éd. Londres 1964, réimpr. 1968, p. 103-105, 112, 114).

Cette villa se trouvait à proximité d'un *uicus* auquel le manuscrit P donne le nom de *Bannauem taberniae* (*Conf.* 1, 4 : voir apparat). Différentes hypothèses ont cherché à identifier ce *uicus* : Bieler a proposé *Bannauenta Taburniae*, ce qui ferait penser à une localité du nom de *Bannauenta* près de la ville moderne de Daventry dans le Northamptonshire. Mais les pirates irlandais, qui enlevèrent Patrick, n'auraient pu pénétrer jusqu'au territoire de Daventry, car la mer la plus proche est à une distance de 80 km, et c'est la mer du Nord où des pirates irlandais ne se seraient jamais aventurés. Cette région était, en outre, séparée de la côte ouest de la Bretagne par une forêt épaisse qui s'étendait sur des milles et des milles. L'hypothèse de Grosjean, qui propose comme lieu de naissance de Patrick *Glannauenta*, actuellement Ravenglas dans le Cumberland (*AB* 63, 1945, p. 65-72), est à peu près aussi invraisemblable. Elle se rattache à la théorie faisant de Calpornius un décurion militaire et se heurte aux preuves archéologiques qui démontrent nettement qu'après l'échec de la *barbarica conspiratio* de 367 fort peu de civils bretons romanisés continuèrent à résider au nord d'York et qu'il ne reste pratiquement aucun indice de villas romaines dans ce territoire. Ces mêmes constatations ruinent toutes autres théories, telles que celles de E. G. Bowen (*Saints, Seaways and Settlements in Celtic Lands*, p. 124-125) et de Charles Thomas (*The Early Christian Archaeology of North Britain*, p. 18-19), qui fixent le lieu de naissance de Patrick dans la région de Carlisle ou même plus au nord. On trouve chez Bieler d'autres tentatives encore pour corriger les manuscrits et en obtenir un lieu repérable. Il nous semble toutefois que seules des conjectures visant l'ensemble du territoire possible ont un sens, d'autant plus qu'il y a peu de chances pour qu'un simple *uicus* ait laissé des traces identifiables : la villa de Calpornius était certainement près de la mer. Nous aurions pu la placer au Pays de Galles, sur le canal de Bristol ou à proximité, au pays des Silures, n'était une objection : à l'époque de Patrick, ce territoire jouxtait à l'ouest celui des *Demetae*, qui est précisément la région où, à plusieurs reprises, des Irlandais s'installèrent sous le Bas-Empire (Bowen, *op. cit.*, p. 45-48) ; si, dans son enfance, Patrick avait eu pour voisins des gens de langue et de mœurs irlandaises, il n'aurait pas considéré les Irlandais comme des étrangers. D'autre part, un domaine impérial s'étendait au sud de l'estuaire de la Severn et du canal de Bristol — ce qui exclut la présence de villas ; le reste du Somerset possède, au contraire, plusieurs emplacements de villas. Il y en avait quelques-unes dans le Devon, dans le territoire des *Brigantes*. Quant aux Cotswolds, ils en étaient abondamment pourvus. Les environs de Corinium Dobunnorum (aujourd'hui Cirencester) étaient couverts de villas opulentes en grand nombre, et ceux d'Ilchester d'« une des plus vastes et plus riches agglomérations de villas de tout le pays » (A. L. F. Rivet, *op. cit.*, p. 116-124, 144, 152, 156). Telles sont donc les régions où l'on peut fixer avec le plus de vraisemblance le lieu de naissance de Patrick. Pour d'autres suggestions à ce sujet, voir E. MacNeill, « The Native Place of St. Patrick » *PRIA* C 37, 1926, p. 118-140, L. Gougaud, *Les chrétientés celtiques*, p. 42, et Bieler.

Bien que son grand-père fût prêtre et son père diacre (*Conf.* 1, 3-4), Patrick ne paraît pas avoir reçu une éducation chrétienne (*Conf.* 1 ; 2 ; 10 ; 27). Selon toute vraisemblance, il suivit l'enseignement du premier degré de l'éducation romaine — où l'instruction était dispensée par le *magister ludi* —, puis, jusqu'au moment où il fut kidnappé, celui du second degré, sous l'autorité d'un *grammaticus*, à l'enseignement duquel il estima plus tard n'avoir pas accordé une attention suffisante. Il n'atteignit jamais le troisième degré — où l'enseignement était dispensé par un *rhetor* — et eut, de ce fait, à souffrir d'une double infériorité, l'incapacité d'écrire un latin littéraire et persuasif et l'absence d'une connaissance même rudimentaire du droit : deux déficiences qu'il déplore aux chapitres 9 et 10.

2. Captivité en Irlande

A l'âge de seize ans, alors qu'il se trouvait dans le domaine de son père, Patrick fut capturé par des pirates irlandais. Pendant sa captivité, occupée à garder le bétail, Patrick se tourna vers Dieu et devint un jeune homme d'une grande piété. Au bout de six ans, il s'enfuit, marcha pendant environ 200 milles (320 km) jusqu'à un port (de la côte S.-E. probablement) où il trouva des marins, pirates ou marchands, qui le ramenèrent en Bretagne, où ils débarquèrent en un lieu désert et subirent les rigueurs de la faim. Pendant son séjour en Bretagne, Patrick eut une vision : il vit un homme du nom de Victoricus *uenientem quasi de Hiberione* qui lui remit une lettre. Pendant qu'il en lisait les premiers mots à haute voix, il lui sembla entendre

uocem ipsorum qui erant iuxta siluam Vocluti, quae est
prope mare occidentale [1].

Hiberione est la forme unique et invariable par laquelle Patrick
désigne l'Irlande. C'est une sorte de locatif, qui peut jouer le rôle
d'un nominatif : voir les nombreux noms de lieux de l'Empire
romain composés avec le préfixe *ad-* (*Ad sanctos* et *Ad innocentes*,
par exemple : Bieler, *St. Patrick and the Coming of Christianity*,
p. 84, note 178, qui cite à l'appui K. Mras : recension du *LEB*
parue dans *Anzeiger der Akademie der Wissenschaften*, 1953,
p. 102 s.).

Le nom grec de l'Irlande est 'Ιέρνη chez Strabon, par exemple.
Pomponius Mela et Juvénal l'appellent *Iuuerna*. Le géographe
Ptolémée plaçait les 'Ιούερνοι au sud de l'Irlande et Avienus
(*Ora maritima* 3) parlait de la *gens Hiernorum*. Chez César, Pline
et Tacite, le mot *Iuernia* (de 'Ιούερνοι) s'est corrompu en *Hibernia*,
le « pays hivernal », et *Hiberni* (employé une fois par Patrick :
Conf. 37, 6). Au milieu du VIIe siècle, l'auteur irlandais anonyme
du *De mirabilibus sacrae scripturae*, faussement attribué à Augustin, donne à l'île le nom d'*Hibernia* (I, 7, *PL* 35, 2158). Au sud de
l'Irlande est associé un peuple appelé en vieil irlandais Érainn,
nom qui se rattache à l'ancien nom de l'Irlande, Ériu (Gougaud,
Les chrétientés celtiques, p. 2 ; T. F. O'Rahilly, « On the Origin of
the Names Érainn and Ériu », dans *Ériu* 14, 1946, p. 7).

Sur *Hiberione* a été forgé le nom d'un peuple qu'on trouve au
génitif pluriel, sous la forme *Hiberionacum* dans le *Liber angeli*
du *Livre d'Armagh* (fol. 21 r⁰) et chez Patrick (*Conf.* 23, 8). Il nous
semble que Patrick utilise également (en *Ep.* 16, 7 : voir apparat
et note *ad loc.*) un nominatif *Hiberionaci*. Le même suffixe celte
revient dans le nom *Honoriaci*, sans doute dérivé du nom de l'empereur Honorius, attribué à des troupes probablement originaires
de Bretagne, menées en Espagne vers 408, par Constant, fils de
l'usurpateur breton Constantin (voir Orose, *Hist. adv. pag.* VII,
40, *CSEL* 5, p. 551 ; C. E. Stevens, « Marcus, Gratian, Constantine » dans *Athenaeum*, nouv. sér., 35, 1957, p. 325-327 ; *POC*,
p. 151-152).

On s'est demandé si Patrick faisait une différence entre les Irlandais (*Hiberni* ou *Hiberionaci*) et les *Scotti*. D'après la conjecture
de Carney [2], par exemple, ces derniers seraient des Irlandais résidant en Écosse. Mais, si nous ignorons quel était le lieu de résidence

1. *Conf.* 23, 10-11.
2. *Op. cit.*, p. 113.

des Scots païens qui achetèrent à Coroticus des esclaves chrétiens (*Ep.* 12, 5 ; cf. p. 41), il est certain que Patrick a rencontré des Scots en Irlande : il a lui-même consacré comme moines et religieuses « des fils et des filles de petits rois irlandais » : *filii Scottorum et filiae regulorum* (*Conf.* 41, 4).

L'Irlande était, en effet, gouvernée par *túaith* ou tribu : sur un territoire relativement exigu régnait un petit roi (*regulus : Conf.* 41, 4). Mais Patrick parle aussi de *reges* (*Conf.* 52, 1) : c'étaient peut-être des rois provinciaux, qui peuvent avoir exercé une sorte de contrôle sur les rois locaux, ou rois inférieurs, mais non sur leurs peuples. Au ve siècle, il n'y avait en Irlande ni « grand roi » ni « roi des rois » : une telle notion n'existait même pas [1]. L'unité de population n'était pas l'individu, mais la famille ou le clan, qui jouissait d'une très large autonomie. Il n'y avait ni villes ni villages, ni aucune organisation civile.

Le fondement de la vie économique du pays était l'élevage du bétail, qui servait habituellement au troc ; Patrick lui-même évalue « au prix de quinze hommes » les cadeaux qu'il dut remettre aux brehons (*Conf.* 53, 3-4) : en effet, les espèces monnayées étaient rares, quelques unités venues de l'étranger. Jusqu'à l'invasion anglo-normande au xiie siècle, les rois irlandais ne frappaient pas de monnaie et l'économie irlandaise n'était pas fondée sur un système monétaire (voir Kathleen Hughes, *Early Christian Ireland*, chap. 1, app. 2). C'est pourquoi, lorsque des dames irlandaises voulurent faire des cadeaux à Patrick, ce sont leurs bijoux qu'elles apportèrent sur l'autel (*Conf.* 49, 4-5).

Socialement, les habitants étaient divisés en rois, nobles — qui étaient hommes de guerre — et roturiers — qui étaient des hommes libres. Il y avait aussi des esclaves. Les « hommes de métier » étaient associés à la noblesse, mais inférieurs à elle, quoique supérieurs aux roturiers ; ils comprenaient les bardes, les médecins, les artistes, les artisans et les « brehons », gardiens et interprètes des lois et coutumes traditionnelles, à qui Patrick fit sans doute des cadeaux importants (*Conf.* 53, 2-4) : ce n'étaient pas à strictement parler des juges mais des juristes, chargés de conserver la tradition de la jurisprudence et d'éclairer les parties ; on les consultait dans

---

1. Voir *Early Irish Society*, éd. M. Dillon, Dublin 1954, réimpr. 1963 ; D. A. Binchy, *The Fair of Tailtu and the Feast of Tara*, Oxford 1958, et *Celtic and Anglo-Saxon Kingship*, Oxford 1970 ; Kathleen Hughes, *The Church in Early Irish Society*, p. 53-56 et *Introduction* (p. 1-33) de l'ouvrage de A. J. Otway-Ruthven, *A History of Mediaeval Ireland*, Londres 1968.

tous les cas litigieux (d'après J. Vendryes, *Les religions des Celtes des Germains et des anciens Slaves*, Paris 1948, p. 306). C'est dans cette catégorie intermédiaire que sera plus tard inséré le clergé chrétien, mais probablement après l'époque de Patrick. Celui-ci nous dit, en effet, que les Irlandais étaient *increduli* (*Conf.* 37, 7).

Et pourtant, dans sa *Chronique* de l'an 431 (*PL* 51, 595 B), Prosper d'Aquitaine nous apprend que le pape Célestin envoya Palladius comme premier évêque *ad Scotos in Christum credentes* et, dans son livre *Contra Collatorem* (21, *PL* 51, 271 C), il ajoute au sujet du pape Célestin que, par l'envoi d'un évêque aux Scots, il convertit au christianisme l'île barbare (l'Irlande), tout en s'efforçant de garder catholique l'île romaine (la Bretagne), allusion aux efforts de Célestin pour y combattre le pélagianisme et, en particulier, à la part qu'il prit en 429 à l'envoi de Germain d'Auxerre en Bretagne, envoi qui se fit, d'après la *Chronique* de l'an 429 (*PL* 51, 594 C - 595 A) « à l'instigation du diacre Palladius ». Jamais Prosper ne mentionne Patrick. Les traditions tardives sur Patrick font, au contraire, toutes mention de Palladius et s'accordent à dire que sa mission fut un échec, bien qu'elles divergent quant à la manière dont il échoua : d'après les unes, il débarqua en Irlande, opéra quelques conversions et repartit découragé ; d'après d'autres, il fut martyrisé en Irlande ; d'après d'autres enfin, il ne parvint jamais en Irlande, mais débarqua en Bretagne et y mourut peu après.

Alors que Palladius avait été envoyé aux chrétiens d'Irlande, la mission de Patrick s'adressera surtout aux païens et c'est devant des hommes qui n'auront jamais entendu parler du vrai Dieu qu'il prêchera (*Conf.* 41, 1-2).

Il ne nous donne cependant que fort peu de détails sur leur religion : la manière de prêter serment (*Conf.* 18, 12), l'offrande du miel (*Conf.* 19, 18-20), le culte du soleil (*Conf.* 60, 3-4).

J. de Vries affirme sans doute (*Keltische Religion*, Stuttgart 1961) que le culte du soleil n'est pas attesté chez les Celtes par des indices sûrs en nombre suffisant ; mais il montre par la suite qu'aucun aspect de la religion celte n'est attesté par des indices sûrs en nombre suffisant. Il étudie le nom du dieu celte *Belenus*, qui rappelle *Beltene*, le nom irlandais de la fête de mai. L'élément *bel* peut être rattaché à la racine indo-européenne *$g^u el$*, qui signifie « briller », ce qui ferait penser à un dieu du soleil (p. 76). D'après de Vries, qui connaît l'allusion de Patrick à un culte du soleil, ce culte aurait été emprunté à une religion antérieure aux Celtes (p. 131-133)) : Stonehenge, par exemple, qu'il décrit (p. 210) comme un *Sonnentempel*, est certainement d'origine préceltique et fut intégré par les

Celtes au culte célébré par les druides ; on trouve également sur
des pierres gravées des symboles solaires, tels que disques, swas-
tikas, triskèles à spirales ; le cheval figure plusieurs fois dans un
contexte religieux, notamment dans le rituel de l'accession à la
royauté, et le cheval peut certainement servir de symbole au
soleil (p. 181). L. Gougaud mentionne (*Les chrétientés celtiques*,
p. 13) « un cercle dessiné sur une pierre orientée, portant une
inscription oghamique, et trouvée à Drumlusk, près de Kenmare
(comté de Kerry) », où l'on a cru voir « la trace d'un culte rendu
au soleil », puis une affirmation du *Glossaire de Cormac* (ixe siècle :
Sanas Cormac 752, éd. K. Meyer, *Anecdota from Irish Manuscripts*
IV, Halle 1912, p. 63), selon laquelle « les païens d'Irlande avaient
coutume de tracer sur leurs autels... la figure du disque solaire » ;
il cite encore le texte où Diodore de Sicile affirme, d'après Hécatée
d'Abdère, que « les populations primitives d'Albion fêtaient par
des transports sacrés les mouvements constants de l'astre », et
enfin la coutume en usage chez les Gaëls de célébrer « la fête
solaire de Beltene en allumant de grands feux autour desquels ils
dansaient ». D'après T. F. O'Rahilly, les anciens noms de l'Irlande,
Banba et Fódla, proviendraient de divinités solaires ; le nom tradi-
tionnel de MacGréine, ainsi que certains noms de lieux irlandais
composés avec le préfixe *Grian-*, suggéreraient la même origine
(«On the Origin of the Names Érainn and Ériu», *Ériu* 14, 1946, p. 7-
28). Mais ses tentatives pour montrer que le nom d'Ériu lui-même
était primitivement celui d'une déesse du soleil ont apparemment
échoué (voir de Vries, *op. cit.*, p. 127, note 82). Nous pouvons donc
affirmer avec une certaine assurance qu'en dehors du témoignage
de Patrick il y a quelques indices d'un culte du soleil chez les anciens
Irlandais, bien que chez les anciens Celtes, en général, ces indices
soient plutôt douteux. Il est, par conséquent, impossible de suivre
R. Weijenborg (« Deux sources grecques de la Confession de
Patrice », *Revue d'Histoire ecclésiastique* 62, 1967, p. 361-378), qui
prétend que l'allusion de Patrick à un culte du soleil prouve que la
Confession n'a pu être écrite ni en Irlande ni dans un milieu celte
(p. 365).

Lorsque Patrick s'entendra appeler à l'évangélisation des païens
d'Irlande, il percevra « la voix des gens de la forêt de Voclute, qui
est près de la mer occidentale » (*Conf.* 23, 10-11) : c'était apparemment le lieu où il avait passé ses années de captivité. A la suite de
Tírechán, nous voyons là une allusion au bois de Foclut, qui se
trouve (Stokes, *Tripartite Life of St. Patrick*, II, 326, 14 b 2 ; *LA* 28)
dans le territoire de Tirawley, qu'O'Rahilly situe près du village
moderne de Killala, un village perché à l'extrême bord de l'Atlan-

tique, au N.-O. du comté de Mayo, non loin des frontières de celui de Sligo (T. F. O'Rahilly, *The Two Patricks*, p. 34-35, 60 ; voir note du texte et app. crit.).

Si Patrick avait passé sa captivité au comté d'Antrim — soit, comme l'a prétendu la tradition ultérieure, sur les pentes du mont Slemish, soit, comme l'a suggéré E. MacNeill [1], dans une forêt près d'Ulidia, à proximité du village moderne de Kiltulagh —, on imaginerait avec peine comment, au sortir de sa captivité, il eut 320 km à parcourir avant de trouver un bateau pour le mener en Bretagne : il se serait trouvé, en effet, à moins de 32 km de la côte orientale, près du point le plus rapproché de la Bretagne, où il ne fallait pas trois jours pour faire la traversée. Mais, s'il passa sa captivité à proximité de Killala, sur la côte atlantique, alors il est facile d'imaginer un voyage de 320 km pour traverser l'Irlande obliquement, de la côte ouest à la côte sud-est, afin d'y trouver un port où s'embarquer pour la Bretagne ; et ce voyage devait prendre plusieurs jours [2].

3. Retour en Bretagne

Puisque Patrick partit après avoir entendu une voix lui promettant le retour dans sa patrie, il ne pouvait s'embarquer que pour la Bretagne.

Toutefois, parce que Patrick et ses compagnons débarquèrent dans une zone inhabitée, où ils eurent à souffrir de la faim, certains savants, et même Bury, ont situé ce voyage en Gaule septentrionale immédiatement après les dévastations commises en 407 par les barbares venus d'outre-Rhin, et ont cru en déterminer ainsi à la fois le lieu et la date (voir l'histoire de cette opinion dans *POC*, p. 121-123). Mais il est difficile d'imaginer qu'une invasion, même aussi redoutable que celle de 407, ravage un pays au point d'en faire un désert aux dimensions que doivent admettre les tenants de cette théorie (voir E. A. Thompson, « A note on St. Patrick in Gaul », *Hermathena* 79, 1952, p. 22-29). Il vaut également la peine

---

1. Dans « Silva Focluti » et « The Native Place of St. Patrick » (*PRIA* C 36, 1923, p. 249-255, et C 37, 1926, p. 118-140), l'auteur est allé jusqu'à faire de la « mer occidentale » la mer d'Irlande, sous prétexte que, pour les Bretons, elle était à l'ouest !
2. Pour les discussions suscitées, dans le passé, par ce voyage, voir les pages pertinentes de CARNEY (*The Problem of Patrick*). On trouvera également chez BINCHY (*PB*, p. 76-78) un résumé des débats, bref mais judicieux.

Saint Patrick.   3

de noter que, d'après Tírechán et Muirchú — qui racontent des visites ultérieures de Patrick en Gaule — ce voyage-ci le conduisit en Bretagne.

L'archéologie a démontré, il est vrai, qu'à l'époque de Patrick des relations commerciales directes — mais assez rares : d'après Gougaud, *Les chrétientés celtiques*, p. 162 — existaient entre la Gaule et l'Irlande. Mais l'impossibilité d'un voyage en Gaule à ce moment-là a été démontrée par O'Raifeartaigh (« Patrick's Twenty-eight Days' Journey », p. 402, 405-416) : d'après Patrick, la petite troupe toucha terre après une traversée de trois jours ; c'est une durée trop courte pour permettre à un navire de cette époque d'affronter les difficultés d'une navigation de 450 km d'Irlande en Gaule. Les meilleurs navires romains ont pu couvrir cette distance en Méditerranée, à l'abri des marées, mais non un navire irlandais en plein océan. Il était évidemment possible à un navire irlandais d'aller en trois jours de la côte sud-est de l'Irlande jusqu'à un port breton. Dans son récit des invasions normandes en Irlande (xiie siècle), Giraud le Cambrien relate (*Topographia Hibernica*, pref. XLIX ; I, 1 ; *Expugnatio Hibernica* I, 2.16.30.38 ; II, 32) plusieurs traversées d'environ vingt-quatre heures entre le pays de Galles et le sud-est de l'Irlande. E. G. Bowen nous fournit (*Saints, Seaways and Settlements*, p. 19) une description intéressante du genre de bateaux utilisés par les anciens Irlandais : « Dès une époque reculée, il y avait sans doute un bateau assez large... doté d'une charpente d'osier recouverte de plusieurs couches de peaux. Il pouvait transporter un équipage de vingt hommes et porter un mât. De telles embarcations plutôt larges étaient certainement connues plus tard en Irlande. » Mais on a également utilisé de bonne heure en Irlande des vaisseaux plus solides, ainsi que l'atteste un modèle réduit en or, fait avec soin et provenant de Broighter, au comté de Derry : « Il a neuf bancs de rameurs, dix-huit rames en tout, plus un gouvernail, un mât, une vergue, trois bouts-dehors, un trou permettant de diriger à la gaffe et une ancre. » Il y avait aussi « un navire assez large pour affronter l'océan, bordé à franc-bord et à fond plat, avec une dunette et une poupe surélevées, des voiles de cuir et une ancre de fer ». Voir aussi les informations de Bowen (p. 18) sur les marées et les courants qui régnaient autrefois dans la mer d'Irlande et qui rendaient la traversée du North Channel — entre la côte du comté d'Antrim et celle de Galloway — peu praticable.

Avant d'admettre Patrick à bord, les marins lui demandèrent de *sugere mammellas eorum* pour prêter serment et

nouer amitié avec eux [1]. Patrick s'y refusa parce que c'était
un rite païen et proposa de prêter serment sur Jésus-
Christ. Après avoir d'abord hésité, ils cédèrent et l'auto-
risèrent à prêter serment comme il l'entendait.

L'importance attachée à ce serment ferait penser que l'équipage
formait une de ces bandes de pirates irlandais dont les traversées
de la mer d'Irlande et les descentes en Bretagne sont bien attes-
tées au ve siècle. Ils devaient s'assurer que Patrick ne les trahirait
pas, une fois parvenus en pays étranger et hostile.

D'autres ont pensé à des marchands : l'Irlande antique exportait,
en effet, des chiens de chasse et l'on trouve, en certains manuscrits,
la mention de chiens épuisés (*Conf.* 19, 14 ; voir apparat *ad loc.*) :
dans ce cas, Patrick aurait appliqué à des chiens les expressions
utilisées par l'Écriture pour les disciples de notre Seigneur et pour
le blessé de la parabole du bon Samaritain, ce qui n'est pas vraisemblable. D'autre part, si ces hommes, qui couraient le risque de
mourir de faim, avaient des chiens, pourquoi ne les mangeaient-ils
pas ? Enfin, Patrick n'aurait pas mentionné la souffrance de chiens :
le monde antique n'avait pas la même sensibilité que nous à l'égard
des animaux. Patrick raconte ici son pèlerinage spirituel ; il ne
s'occupe que de ce qui peut l'éclairer. C'est dans ce sens qu'il a
relaté que, avant d'être secourue par la Providence, la petite troupe
souffrait beaucoup du manque de nourriture. Il me semble donc
que les compagnons de Patrick étaient des pirates et non des marchands.

T. O'Raifeartaigh a raison d'admettre (« St. Patrick's Twenty-
eight Days' Journey », *Irish Hist. Stud.* 16, n⁰ 64, 1969, p. 403)
que la traversée a dû se faire en automne. Nombre de détails (*Conf.*
19) s'accordent à donner cette impression : les dates de la navigation
dans l'Antiquité (entre fin mai et début septembre), celles des raids
des pirates irlandais (après la fin de la moisson de l'avoine), la
quantité d'aliments disponibles dans la seconde partie du voyage
(peut-être des noix et des baies), le miel, le troupeau de porcs (qui
a pu se nourrir de glands et de faînes), les averses contrastant avec
la *siccitas* rencontrée plus loin : *Conf.* 22, 2.

---

1. C'était une ancienne coutume irlandaise : on suçait la poitrine
d'un homme en signe d'amitié (voir J. RYAN, notes sur *sugere
mammellas eorum*, dans *Irish Ecclesiastical Record*, 52, 1938,
p. 293-299 et M. A. O'BRIEN, « Miscellanea Hibernica : 13, ' sugere mammellas ' in Confessio Patricii », *Études Celtiques* 3, 1908,
p. 372-373).

De retour en Bretagne, Patrick y resta assez longtemps :
sans doute d'abord quelques années (*paucos annos* : *Conf.*
23, 1) dans sa famille, puis *plurimos annos* (*ibid.* 23, 15) à
se préparer à l'ordination, être ordonné diacre, puis prêtre,
à vivre quelque temps comme prêtre et peut-être comme
moine (ci-dessous p. 166) avant qu'on envisageât de le nommer évêque en Irlande. Ce fut plus tard seulement qu'il
découvrit le sens du rêve où Victoricus lui était apparu
(*Conf.* 23, 5-6).

On peut expliquer ce nom comme un équivalent celte de *Victorinus* : dans les noms propres, en effet, les suffixes *-icus* et *-iacus*
dénotent souvent une origine celte : voir les Honoriaci mentionnés par Orose (ci-dessus p. 29). Victricius, la conjecture de Papebroch (voir app.), est une allusion à Victricius de Rouen, qui visita
la Bretagne à la fin du ive siècle et que certains ont été tentés
d'associer à Patrick. Mais Grosjean a démontré qu'à l'époque où
Victricius visita la Bretagne, Patrick pouvait avoir une dizaine
d'années [1].

Durant cette période de *plurimos annos,* Patrick étudia
profondément la Bible latine. C'est sans doute à cette même
époque qu'il visita la Gaule (voir Grosjean, *AB* 75, 1957,
p. 161-163).

Patrick connaît, en effet, la coutume des Gaulois qui rachètent
les captifs enlevés par des nations barbares (*Ep.* 14, 1-4) ; il rêve
d'un voyage en Gaule (*Conf.* 43, 3-5) ; mais surtout, il était absent
de Bretagne — et certainement pas en Irlande — lorsqu'il fut
question de l'élever à l'épiscopat (*Conf.* 32, 4-6).

Mais sa visite ne fut pas bien longue ; tout prouve, en
effet, qu'il reçut sa formation ecclésiastique en Bretagne et
non en Gaule.

---

1. « Notes d'hagiographie celtique », *AB* 63, 1945, p. 98. Voir
N. CHADWICK, *Studies in the Early British Church*, Cambridge
1958, p. 221-222 ; J. MORRIS, « The Dates of the Celtic Saints »,
JTS 17, n. sér., 1966, p. 342-391 ; W. D. SIMPSON, *Ninian and the
Origins of the Christian Church in Scotland*, Édimbourg 1940,
p. 63-64 ; *Sources*, p. 159-160.

S'il l'avait reçue en Gaule, il aurait parlé latin couramment ; or le latin est toujours resté pour lui une langue étrangère (voir p. 161-162). Et, s'il avait été envoyé par l'Église de Gaule, il n'affirmerait pas les liens qui l'unissent à l'Église de Bretagne et que certains ont rompu (*Ep.* 11, 1).

Pendant son absence, le projet d'élever Patrick à l'épiscopat naquit et prit corps en Bretagne : un ami intrigua pour le faire nommer évêque des chrétiens d'Irlande et contribua largement, en tant qu'évêque (ci-dessous p. 43), à son élection ; c'est pourquoi il put lui annoncer, à son retour, qu'il allait être élevé à l'épiscopat. Patrick, qui était un homme très effacé, semble avoir d'abord été enclin à écouter les conseils affectueux de certains amis qui le dissuadaient d'accepter, en s'inquiétant à la fois de sa sécurité en Irlande au milieu d'ennemis (*hostes* : *Conf.* 46, 11) et de ses aptitudes, étant donné sa *rusticitas* ; voir les chapitres 9 à 13 de la *Confession*, où il paraît avoir cette critique présente à l'esprit. La critique, cependant, était amicale (*non ut causa malitiae*) et cherchait même à le gagner par des cadeaux (*Conf.* 37, 1).

Bieler pense (*St. Patrick and the Coming of Christianity*, p. 71-72) que ces dons furent offerts à Patrick alors qu'il était évêque depuis longtemps déjà ; d'après lui, il serait difficile d'imaginer qu'un homme dépendant de ses supérieurs ecclésiastiques, comme Patrick avant son élévation à l'épiscopat, se soit vu offrir des dons pour l'inviter à rester en Bretagne. Mais c'est attribuer à l'Église bretonne du ve siècle la discipline et la subordination qui existent dans l'Église catholique romaine du xxe siècle. D'après les faits que nous connaissons, il est bien plus vraisemblable que Patrick fasse ici allusion au moment où certains le sollicitaient et où sa propre conscience de l'appel de Dieu l'obligeait à se laisser nommer évêque pour l'Irlande.

Patrick lui-même ne parvint que graduellement à reconnaître que Dieu l'appelait à assumer cette *legatio*, « une chose que jadis, dans ma jeunesse, je n'avais jamais espérée ni même imaginée » (*Conf.* 15, 4-5).

Dans un article paru en irlandais dans *Seanchas Ardmacha*, T. F. O'Raifeartaigh, qui a eu la bonté de m'en procurer une traduction anglaise, souligne que, d'après ce texte, l'idée d'une mission en Irlande n'était pas venue à l'esprit de Patrick dans sa jeunesse — c'est-à-dire avant qu'il n'ait environ trente ans : s'il avait donc de 21 à 22 ans lors de son retour de captivité, il ne se mit à envisager un appel à la mission irlandaise que beaucoup plus tard.

Lorsqu'il l'eut perçu, aucune critique ne put le faire abandonner cette entreprise (*Conf.* 37, 1-7 ; 46, 1-15).

Nous n'avons cependant pas à voir en Patrick un évêque qui se serait nommé ou consacré lui-même, sans mandat de l'Église. Powell a repris récemment (« The Integrity of St. Patrick's Confession », *AB* 87, 1969, p. 402-403) cette hypothèse, jadis avancée par M. Esposito et réfutée par la phrase de son ami *ecce dandus es tu ad gradum episcopatus* (*Conf.* 32, 6-7). Il y a peu d'exemples d'un tel procédé dans l'ancien monde et, si Patrick n'avait pas été consacré, s'il l'avait été imparfaitement ou irrégulièrement, les ennemis qui surgirent plus tard n'auraient pas manqué de le relever.

4. Évêque en Irlande

a. *Ministère*

Malgré le souci de Patrick pour les chrétiens dont il était nommé évêque, sa mission fut surtout de convertir au christianisme les païens d'Irlande comme le manifestaient déjà les craintes de ses amis : *in periculo inter hostes* (*Conf.* 46, 11). « Je suis allé, dira-t-il (*Conf* 51, 2-4), jusqu'aux districts écartés au-delà desquels il n'y avait plus personne et où nul n'était jamais venu pour baptiser » et (34, 19-20) « l'Évangile a été prêché jusqu'aux lieux au-delà desquels il n'y a plus personne ».

A cause de ces formules et parce qu'en *Ep.* 10, 9, il appelle les Irlandais *genti exterae*, apparemment pour les distinguer des nations qui faisaient ou avaient fait partie de l'Empire romain, certains (L. Gougaud, par exemple : *Les chrétientés celtiques*, p. 36), imaginant que ces façons de parler se rapportaient à l'ensemble de la nation irlandaise, en ont conclu que Patrick ignorait tout de la mission de Palladius, envoyé par le pape Célestin (voir ci-dessus p. 31). Mais tout ce que ces expressions veulent dire, c'est que Patrick parvint au cours de son ministère jusqu'à la côte occidentale de l'Irlande — éventuellement la côte septentrionale, mais les mots *mare occidentale* du chapitre 23 (11) rendent la côte ouest plus vraisemblable — au rivage de l'Atlantique, au-delà duquel il n'y avait plus, pour les hommes de ce temps, qu'à l'infini la mer inhabitée, et l'on peut voir un contraste entre l'évangélisation de Patrick sur un sol totalement vierge et les activités déployées avant lui par d'autres (Palladius peut-être) qui ne s'étaient adressés en Irlande qu'à des hommes déjà convertis au christianisme. Nous pouvons donc conclure que Patrick n'exclut jamais la possibilité que Palladius — ou quelque autre — ait évangélisé certaines parties de l'Irlande avant ou en même temps que lui. De fait, il le suggère plutôt par son désir d'« imiter ceux dont le Seigneur avait prédit... qu'ils annonceraient son Évangile avant la fin du monde » (*Conf.* 34, 14-17) et par sa mention des « districts écartés... où nul n'était venu baptiser » ; mais, dans sa mission, Patrick devait être seul : si d'autres évêques l'avaient accompagné, il l'aurait noté et ne manifesterait pas la crainte de « perdre le fruit du travail commencé » (*Conf.* 43, 7-8), de « perdre le peuple que Dieu s'est acquis à l'extrémité de la terre » (*Conf.* 58, 2-3). Il est donc possible que les ministères de Palladius et de Patrick se soient exercés simultanément sans que l'un ait formellement reconnu l'autre.

Patrick ne paraît pas non plus avoir consacré d'autres évêques au cours de sa mission ; il le mentionnerait sans doute lorsqu'il célèbre les bienfaits que Dieu a voulu accorder aux Irlandais par son intermédiaire : baptêmes, confirmations, ordinations (*Conf.* 38, 2-4).

Car, pour autant que nous puissions le reconstituer, le ministère de Patrick a dû être semblable à celui de n'importe quel évêque du Ve siècle en terre de mission : il prêchait, baptisait, célébrait l'eucharistie, conférait le sacrement de confirmation aux nouveaux convertis, ordonnait des clercs, instituait moines et moniales. Il distribua des fonds, qu'il avait sans doute reçus de Bretagne et dont il se sentait tenu de rendre compte (ci-dessous p. 46). Il convertit et baptisa des milliers de gens : aristocrates, simples hommes libres, esclaves. Les mots *tot milia hominum* de *Conf.* 14, 6 nous obligent à conclure que, dans sa prédication de l'Évangile, Patrick rencontra en Irlande un grand succès ; sinon il faudrait, à la suite de H. Zimmer [1], le considérer

1. P. 216 de l'article cité p. 15, note 2.

comme un exalté. Même en admettant des exagérations,
les allusions à des milliers de personnes baptisées par Patrick
(*Conf.* 14, 6 et 50, 1) font penser que les Irlandais ne furent
pas convertis individuellement mais par groupes, peut-être
tous les sujets d'un petit roi à la fois, bien qu'il ressorte
nettement des paroles de Patrick, au chapitre 48 et ailleurs,
qu'il ne parvint pas à convertir tous ceux en présence desquels il prêcha.

Patrick ne fait jamais allusion qu'à l'ordination de clercs
résidant sur place (*Conf.* 50, 3-4, *ubique* : partout où j'allais)
et non à des clercs qu'il aurait amenés de Bretagne — ou
d'ailleurs. Il est possible que les fils de chefs qui accompa-
gnaient Patrick et à qui il versait des subventions (*Conf.* 52,
1-2) aient été formés en vue du ministère et Patrick déclare
lui-même qu'il a confié une première lettre pour Coroticus
sancto presbytero quem ego ex infantia docui (*Ep.* 3, 4).

Salvien atteste, en effet, la pratique d'offrir à Dieu de jeunes
enfants, en vue de l'ordination ou de la vie monastique (*De gub. Dei*,
III, 4, 21 ; 5, 22-27). Dans les derniers chapitres de son *Histoire
de l'éducation dans l'antiquité* (Paris 1948), H. I. Marrou insiste
sur le fait qu'à la chute de l'Empire romain d'Occident, l'instruction ne se maintint — à de rares exceptions près — que dans des
écoles monastiques ou dans des écoles organisées par les évêques
dans leur *familia* pour former des jeunes gens en vue de l'ordination.

Pour que cet enfant grandît jusqu'à l'âge de l'ordination
(environ trente ans), Patrick a dû rester vingt ans et peut-
être davantage évêque en Irlande.

Mais la formation et l'instruction de clercs paraît difficile au cours d'une vie uniquement itinérante. Il faut admettre, par conséquent, que Patrick avait une sorte de
« quartier général », ce que paraît confirmer une expression
du chapitre 48 (3) de la *Confession*, *gentes illas inter quas
habito* : on ne peut envisager pour cela d'autre siège qu'Armagh. Il y fonda sans doute sa principale église (et peut-
être sa cathédrale). Il est possible que son ministère se soit
généralement limité au nord de l'Irlande (voir ci-dessus
p. 38-39).

On a émis l'hypothèse que des faveurs reçues ou quelque autre lien rattachait Patrick à la dynastie Ulidian, dont le principal siège était près d'Armagh (Ard Macha), avant que la dynastie Ui Neill ne la reléguât, au cours du ve siècle, dans un district plus exigu, au N.-E. de l'Ulster ; cette hypothèse n'est que pure spéculation (voir *PB*, p. 148-154).

Mais, si Patrick connut la joie de baptiser de nouveaux convertis, d'ordonner des clercs, de consacrer des moines et des vierges, il eut aussi à subir, à mainte reprise, insultes, captivité et pillage (*Conf.* 21 ; 37, 7-8 ; 52, 3-6). Et, lors même qu'il n'endurait rien de tel, la menace de la servitude et de l'assassinat restait présente à son esprit (*Conf.* 55,7-9).

b. *Coroticus*

Plus scandaleux cependant fut le massacre auquel se livrèrent de soi-disant frères en la foi : à un moment donné, en effet, un chef breton, chrétien de nom, Coroticus, opéra en Irlande un raid, au cours duquel plusieurs nouveaux convertis de Patrick furent massacrés, d'autres enlevés puis vendus. Ce fut l'occasion de la *Lettre* de Patrick *à Coroticus* et de l'excommunication par Patrick de Coroticus et de ses soldats.

On peut envisager d'identifier Coroticus avec deux hommes du nom de Ceretic, dont il est actuellement impossible de déterminer les dates (voir *PB*, p. 106-109 et *POC*, p. 21-25).

Ce pourrait être, d'une part, le fils d'un homme appelé Cunedag (en gallois moderne « Cunedda ») par Nennius, qui en fait l'arrière-grand-père d'un dénommé Maelgwn (en gallois moderne « Maelgwynn »), qui régnait dans la seconde moitié du vi[e] siècle sur un territoire du nord du Pays de Galles. Avec huit de ses fils, ce Cunedag avait quitté le territoire des Votadini — c'est-à-dire la côte orientale de l'Écosse au sud du Firth of Forth — pour le nord du Pays de Galles, où il s'était installé après en avoir expulsé les Irlandais ; cette invasion avait eu lieu cent quarante-six-ans avant le règne de Maelgwn (*Historia Brittonum, MGH, Auct. Ant.* IX, 62, 205-206, 5). Le Cardiganshire, au nord du Pays de Galles, porte aujourd'hui encore le nom du cinquième fils de Cunedag, Ceretic. Il est possible que ce soit notre Coroticus, qui aurait mené un raid contre l'Irlande à partir du nord du Pays de Galles.

Mais ce pourrait être également un homme que mentionnent parfois d'anciens documents : la liste mal placée des têtes de chapitres de l'ouvrage de Muirchú (*infra*, p. 134 n. 1) renferme le titre *De conflictu sancti Patricii aduersum Coirthech regem Aloo*, qui doit désigner « Coroticus, roi de Dumbarton ». Celui-ci est également cité par la *Vita Columbae* d'Adomnán, qui fait d'un contemporain de Columba (environ 521-597), *Rodercus filius Tothail* : Riderch Hen, fils de Tutwal, un descendant de ce Ceretic à la cinquième génération. Une ancienne généalogie galloise (*Pedigree V, Harleian Ms*. 3859, *British Museum*) fait allusion à un certain Ceretic Guletic (autrement dit : un généralissime Ceretic), qui régna sur un territoire qui reçut plus tard le nom de Strathclyde, en gros, le sud de la Clyde.

Il était possible de mener des raids contre la côte de l'Irlande à partir de Dumbarton, bien que ce fût plus malaisé qu'à partir du nord du Pays de Galles. Nous préférons toutefois opter pour le second des deux Ceretic, le roi de Dumbarton, parce qu'il est plutôt mieux attesté que le premier, parce que Muirchú l'a explicitement rattaché à Patrick et parce que, d'après les indices que nous possédons, on peut penser que l'activité missionnaire de Patrick s'est plutôt limitée au nord de l'Irlande et que ce nord était plus exposé aux raids de pirates venant de la région de la Clyde. De plus, alors qu'on ne voit pas comment Ceretic, fils de Cunedag, demeurant au nord du Pays de Galles, aurait pu être en contact avec les Pictes, qui habitaient le nord de l'Écosse, il n'y a pas de difficulté à attribuer ces relations à Ceretic, tyran dans la vallée de la Clyde.

Si donc les soldats de Coroticus venaient de Strathclyde, le massacre eut probablement lieu près de la côte. Les victimes, évangélisées par Patrick (*Ep*. 9, 8-9 ; 16, 2-3), venaient de recevoir les sacrements de l'initiation chrétienne (*Ep*. 3, 1-2 ; voir ci-dessous p. 169-170).

White, Bieler et Marsh [1] s'accordent à penser (d'après *Ep*. 3, 1) que Patrick envoya une première lettre dès le lendemain du raid perpétré peu après le baptême — car, s'il n'assista certainement pas à ce massacre, il ne devait pas être bien loin — et que la seconde lettre de Patrick fut sans doute expédiée assez longtemps après la première : sinon, les ravisseurs n'auraient pas eu le temps de vendre une partie de leurs victimes aux Pictes.

Cette seconde lettre, notre *Epistola*, est une lettre d'excommunication (*Ep*. 7, 1-3 ; 14, 7-9). L'invitation à faire

---

1. A. MARSH, *St. Patrick and his Writings*, Dundalk (Irlande) 1966.

pénitence et à réparer (*Ep.* 7, 4-6 ; 21, 5-9) y est conforme au système pénitentiel de l'Église primitive.

Quoique Patrick s'y montre particulièrement inquiet du sort des captives (*Ep.* 14, 5-6 ; 21, 8), il semble bien que Coroticus a réduit en esclavage des hommes aussi bien que des femmes et des enfants (*Ep.* 15, 8-9).

c. *Contestation*

Mais cette lettre nous fait également entendre qu'il y avait en Bretagne des gens qui n'aimaient pas Patrick — « on me hait, je suis profondément méprisé » : 12, 1-2 ; cf. 1, 10 ; 11, 1 — et face auxquels il jugea nécessaire d'affirmer son intégrité — « je ne cherche pas mon propre intérêt » : 11, 5-6 — et l'origine divine de sa mission — « j'affirme être évêque... j'ai reçu de Dieu ce que je suis » : 1, 2-3 ; cf. 6, 1-2 : 10, 1-2.

Cette hostilité trouva une autre occasion de s'exprimer ; à un certain moment — avant ou après l'excommunication de Coroticus, nous l'ignorons —, on porta contre Patrick une grave accusation à cause de la révélation d'un péché confessé longtemps auparavant, juste avant son ordination au diaconat (voir *Conf.* 27 et notes *ad loc.*). Ce péché, dont rien ne nous permet d'imaginer la nature, avait été avoué à un ami intime, celui-là même qui avait contribué à l'élévation de Patrick à l'épiscopat : après avoir eu une responsabilité dans l'octroi à Patrick d'un ministère épiscopal en Irlande, il trahissait le secret de son ancien péché pour « le discréditer aux yeux de tous, bons et méchants » (*Conf.* 32, 9-10).

On pourrait penser qu'il s'adressa à un synode convoqué régulièrement, mais l'expression *bonis et malis* paraît plutôt se rapporter à tous les membres de la Communauté dont Patrick faisait partie et au sein de laquelle son ami mena ce que nous appellerions « une campagne de dénigrement ». Non seulement ce faux ami était sans doute l'un des *seniores* au moment de l'attaque lancée contre Patrick, mais il avait déjà été évêque — mais probablement pas l'un des *seniores* — au moment où Patrick fut nommé évêque. Il était peut-être à peine plus âgé que Patrick...

Cette confession servit donc de prétexte — peut-être à
un synode de Bretagne — pour tenter de disgracier Patrick
et cette tentative semble avoir impliqué la visite d'une
délégation auprès de Patrick (*Conf.* 26, 1-3).

Patrick parle de cette délégation en termes plus ou moins énig-
matiques — littéralement : « ils vinrent, et mes péchés, contre
mon laborieux épiscopat » — qui ont suscité des interprétations
divergentes, selon lesquelles le « laborieux épiscopat » durait
depuis longtemps déjà (White et A. Marsh [1]) ou n'avait pas
commencé (Bieler). Nous préférons la première solution, parce
qu'elle paraît plus conforme au texte, que l'ami ne peut avoir intri-
gué en même temps pour et contre Patrick et que Patrick affirme
aussitôt après que le « Seigneur épargna celui qui s'était fait étranger et voyageur pour son nom » — or il pouvait se considérer comme
« étranger et voyageur » en Irlande et non en Bretagne.

C'est après trente ans, nous dit Patrick (*Conf.* 27, 1-2), que ses
adversaires trouvèrent un prétexte contre lui. On pourrait compter
ces trente ans à partir du moment où fut commis le péché que
Patrick devait confesser plus tard : d'après cela, Patrick n'aurait
guère eu plus de quarante-cinq ans au moment où l'attaque fut
lancée contre lui. Or, dans l'ancien monde, peu d'hommes sont
parvenus à l'épiscopat avant l'âge de quarante ans. Une autre
solution est celle d'O'Raifeartaigh (dans son essai de *Seanchas
Ardmacha*, où il suit Carney) : il adopte la leçon *occasionum post
annos triginta* (voir apparat), qu'il interprète « après trente années
d'incidents »; il compte, par conséquent, les trente ans à partir
du début de l'épiscopat de Patrick. Cependant, même s'il est possible d'admettre qu'*occasio* puisse se traduire par « incident », cette
interprétation ne peut prendre appui ni sur l'ordre des mots, ni sur
les conséquences qu'elle implique : Patrick aurait dû avoir environ
soixante-dix ans lorsqu'il écrivit la *Confession* ; rares étaient dans
l'Antiquité les hommes qui parvenaient à cet âge et, si Patrick se
considère comme un homme âgé, il ne parle pas d'un âge avancé.
Mieux vaut donc suivre Bieler et compter les années à partir du
moment où le péché fut non commis mais confessé. Bieler souligne
(*LEB* 2) que *uerbum quod confessus fueram* ne signifie probablement pas « l'acte que je confessai », mais « la confession que je fis » :
d'après cela, Patrick aurait été attaqué trente ans après avoir reçu
le diaconat, ce qui est plus conforme aux différents indices.

---

1. Voir note précédente.

Les derniers mots du chapitre 36 de la *Confession* manifestent clairement que Patrick n'avait pas quitté l'Irlande depuis son retour comme évêque ; il n'eut donc pas à se rendre en Bretagne pour répondre aux accusations concernant son aptitude à l'épiscopat et c'est en Irlande que vinrent certains évêques bretons (« certains de mes seigneurs » : *Conf.* 26, 1-2) qui le condamnèrent (*reprobatus sum* : *Conf.* 29, 1 ; voir note *ad loc.*).

Le ministère de Patrick se poursuivit cependant. Nous ne savons pas comment, concrètement, l'affaire prit fin. Tout ce que Patrick nous dit, c'est que Dieu le secourut dans cette épreuve (*Conf.* 26, 4-6), qu'il le garda fidèle (*Conf.* 34, 1-2) et qu'à partir de ce moment-là il sentit en lui une force non médiocre (*Conf.* 30, 4-5).

d. *Rédaction de la Confession*

Toute contestation ne cessa pas pour autant et c'est en partie pour se disculper (*Conf.* 61) que Patrick écrit sa *Confession*. Il envisageait depuis longtemps un tel ouvrage et ne s'y met que tardivement (*in senectute* : 10, 3).

On peut se demander si Patrick a écrit sa Confession de sa main (62, 2-4 : *hanc scripturam quam Patricius... conscripsit*) ou s'il l'a dictée, ce qui expliquerait les changements de construction si fréquents (*infra*, p. 159 s.) et si, au moment où il rédige sa *Confession*, il s'est partiellement retiré du ministère (comme le suggèrent les temps du passé employés parfois pour décrire ce ministère, chap. 49, par exemple). Il continue, en tout cas, de « s'acquitter d'une mission confiée par Dieu » (56, 2) et, en particulier, de prêcher (47, 2-3) ; peut-être des fils de rois l'accompagnent-ils encore dans ses déplacements (emploi du présent : 52, 2).

C'est sans aucun doute en Irlande que Patrick rédige sa *Confession* (37, 12 ; 39, 1 ; 43, 1-10 ; 48, 3 ; 62, 3-4). Ses destinataires sont, les uns, en Bretagne : ils l'ont connu dès sa jeunesse (48, 2-3) et procurent de l'argent à sa mission ; les autres en Irlande : c'est pour eux qu'il dépense de l'argent, qu'il se dépense lui-même et qu'il voudrait donner sa vie (chap. 51-53). Patrick écrit sa *Confession* pour justifier son ministère devant les uns comme devant les autres.

Il semble répondre à ceux qui lui ont demandé compte de l'emploi des fonds alloués — qu'il a distribués aux rois et aux brehons pour avoir la possibilité de parcourir l'Irlande (*Conf.* 51, 1-2 ; 52, 2 ; 53, 1-4) — l'ont interrogé sur des cadeaux offerts — et refusés (49, 1-6) — et l'ont même soupçonné de se faire payer les actes de son ministère — une allégation qu'il repousse avec indignation (chap. 50). Il se sent également obligé d'affirmer qu'il s'est toujours comporté avec loyauté et sincérité (48, 2-5) et que ce n'est ni la recherche de biens matériels ni celle des honneurs qui le fait rédiger cette *Confession* (chap. 54). En outre, parce que sa connaissance préalable de l'Irlande — un argument en faveur de son épiscopat — et son manque d'instruction — un argument contraire — sont concernés, il trouve nécessaire de passer en revue toute sa vie, avec ses étapes et son ministère. Enfin, les attaques portées contre l'intégrité de son épiscopat l'obligent à défendre également les motifs pour lesquels il a accepté son élection. Sa réponse est : Dieu m'a choisi ; la preuve en est à la fois dans les interventions providentielles qui m'ont été accordées aux moments critiques de mon existence, dans la direction que Dieu a imprimée à mon ministère et dans les fruits qu'il a suscités.

Mais cette « apologie » est, en même temps, une louange de Dieu et un témoignage public devant Dieu et devant les hommes (*Conf.* 4 ; 14 ; 37) : Patrick réfléchit sur sa vie et en relate les événements qui conviennent à son propos ; aussi l'ordre chronologique — qu'il a suivi dans une partie de son exposé — est-il bouleversé plusieurs fois au profit d'un ordre plus spirituel ou par simple association d'idées : la captivité de sa jeunesse lui rappelle une autre captivité *post multos annos* et le fait interrompre le récit de sa première évasion (chap. 21).

Bien que cela paraisse contredit par la formule *post multos annos*, certains auteurs ont été prêts à admettre que Patrick fut fait prisonnier au cours de son voyage avec les pirates et qu'il eut alors à subir soixante jours de captivité, en Gaule ou en Bretagne. Carney interprète les lignes 2-4 du chapitre 21 de la manière suivante : « Cette première nuit — et c'est pourquoi je demeurai avec eux — j'entendis une révélation divine qui me disait : Tu resteras deux mois avec eux » (*Problem of Patrick*, p. 69-71). *Post multos annos* serait alors une allusion à la captivité en Irlande, captivité alors toute récente. A la suite des Bollandistes (= v), O'Raifeartaigh se demande (« St. Patrick's Twenty-eight Days' Journey », p. 395-405) si la suite du texte de la *Confession* n'a pas été altérée de très bonne heure ; l'ordre primitif des chapitres 19 à 22 aurait été 19, 22, 21, 20 : le récit du voyage serait ainsi d'un seul tenant ; après avoir relaté une marche de vingt-huit jours, Patrick ferait allusion à une seconde captivité de soixante jours. Mais on ne voit pas qui aurait pu s'emparer de Patrick en Bretagne — où il faut admettre qu'il se trouvait à ce moment-là. Il est exclu qu'après l'amitié jurée et l'impression produite par sa capacité d'entrer en communication avec la divinité (*Conf.* 18-19), les marins qui voyageaient avec lui l'aient réduit en servitude. Cette hypothèse enfin ne tient pas compte de l'expression *post multos annos*.

Les visions qui s'échelonnèrent au cours de l'existence de Patrick sont rapprochées par son texte (chap. 23-26). Le récit de l'accusation qui mit en cause son ministère épiscopal (chap. 26-27 ; 29) est interrompu par le souvenir de la captivité de sa jeunesse (chap. 28 ; note *ad loc.*) et précède celui des interventions contradictoires intervenues au moment de son envoi en mission (chap. 32 ; 37), au milieu duquel s'insère encore une sorte d'hymne d'action de grâces (chap. 33-37).

L'interprétation de ces différents chapitres a paru d'autant plus difficile que Patrick parle deux fois de l'intervention de *seniores* — une délégation de *seniores* vint le trouver à propos de l'accusation portée contre lui (26, 1-2) ; des *seniores* s'opposèrent à son envoi en Irlande (37, 3) — et que certains ont cru devoir identifier ces deux interventions (voir ci-dessus p. 43-44).

Bien qu'il paraisse téméraire d'établir, dans ces conditions, un plan de la *Confession*, nous avons discerné une première section (chap. 1-15), où Patrick note ses réflexions sur l'itinéraire spirituel qui résulta pour lui de sa capture par des pirates irlandais. Avant tout, il veut célébrer la miséricorde de Dieu, qui se sert d'un instrument aussi indigne que lui, et insister sur l'appel reçu malgré son manque d'éducation. Aux chapitres 16 à 22, il médite sur les circons-

tances qui entourèrent son évasion. L'intérêt se concentre
sur les visions qui lui furent accordées (voir chap. suivant). Dans une troisième section (chapitres 23 à 34), il ar-
conte de même les indications providentielles qu'il reçut en
songe entre ce moment-là et son retour en Irlande comme
évêque et la révélation que Dieu lui accorda au moment où
il affrontait l'accusation d'être indigne du ministère qu'il
exerçait. Ce fut pour lui à la fois la dernière manifestation
de la Providence au cours d'un rêve et la plus éclatante.
Patrick consacre la dernière partie de son ouvrage
(ch. 35-55) à revoir son œuvre d'évêque en Irlande, à la
justifier et à en rendre grâce à Dieu. Dans sa conclusion
(chap. 56-62), il redit sa reconnaissance envers Dieu et sa
confiance en lui, réaffirme (voir chap. 37, 10-13 ; 39, 1-5)
son désir de le servir en Irlande jusqu'au bout, fût-ce
jusqu'au martyre.

Patrick ne mourut par martyr et, quel que soit le lieu de sa
sépulture, ce ne fut certainement pas Armagh ; ce fut
toutefois là que l'on conserva au moins sa *Confession* et
qu'un certain culte en son honneur fut maintenu jusqu'au
moment où, au VIIe siècle, il fut développé, enrichi et rendu
populaire au profit du monastère d'Armagh et de la dynastie méridionale des Ui Neill.

5. Quelques traits du caractère de Patrick

Comme beaucoup de chrétiens de l'Antiquité, Patrick
s'intéresse particulièrement aux révélations et aux visions ;
il n'en raconte pas moins de huit, dont la plupart survinrent
pendant son sommeil : incitations à agir (fuite d'Irlande :
Conf. 17, 2-5 ; appel à la mission : *Conf.* 23, 5-13), conso-
lation dans un moment critique (*Conf.* 20, 1-8 ; 21, 2-4 ; 29,
2-6), transcription directe d'une expérience spirituelle (*Conf.*
24, 1-5 ; 25, 1-6). Ces visions s'échelonnèrent tout au long
de son existence, depuis la captivité de sa jeunesse (*Conf.* 17)
jusqu'à l'attaque qui menaça son ministère (*Conf.* 29) et
à sa seconde captivité *post multos annos* (*Conf.* 21). La
description qu'il en fait en un style paratactique sonne vrai :
on y trouve la richesse en couleurs, l'absence de conclusion

et la puissante réaction affective que nous associons à l'idée de rêve (*Conf.* 23, 5-15).

Mais aucune de ces interventions divines ne comporte d'événement prodigieux ou de trait propre à l'hagiographie médiévale d'Irlande — ou d'ailleurs. On ne retrouve pas non plus dans ses œuvres certains traits pourtant caractéristiques de la piété populaire du Ve siècle, comme des allusions à des reliques ou à des prodiges. Et les deux miracles qu'il mentionne (changement de décision des marins : *Conf.* 18, 6-9 ; apparition d'un troupeau de porcs sur le chemin : *Conf.* 19, 12-13) peuvent s'expliquer d'une manière naturelle.

Pendant toute sa vie, Patrick fut conscient, et plus qu'il n'est normal, de son manque d'instruction (ci-dessus, p. 28). Il se dit lui-même *rusticus* (*Conf.* 12, 1 ; cf. 46, 14), voire *rusticissimus* (*Conf.* 1, 1) — employant un terme qui évoque une partie reculée de l'Empire romain et, surtout, un manque d'éducation — et *indoctus scilicet*, « fort peu instruit », et cela non seulement dans sa *Confession* (12, 1 et 62, 3), mais dans son *Épître* (1, 1), où il doit pourtant insister sur son autorité épiscopale. Il se rend compte que d'autres se moquent de son manque d'instruction : il a, en effet, de la peine à manier le latin (p. 161). Aussi n'est-il pas étonnant qu'il soit impossible de déceler des influences littéraires sur son œuvre, mise à part l'influence de la Bible latine, qu'il connaissait fort bien. Il est, de fait, *homo unius libri* : la Bible forme le fond de sa nourriture littéraire, spirituelle et doctrinale. Il l'estime tant qu'il emploie son texte d'une manière presque magique : au chapitre 20 de l'*Épître*, il paraît vouloir effrayer ses lecteurs par les paroles de la Bible, comme si elles avaient en elles-mêmes un pouvoir surnaturel, surtout lorsqu'elles sont formulées en latin. C'est conforme à son extrême vénération pour l'Écriture et nous rappelle la conduite des Vandales, qui brandissaient la Bible avant la bataille (Salvien, *De gub. Dei*, VII, 11, 46). Ailleurs (*Conf.* 11, 11 ; voir note *ad loc.*), sa foi en l'Écriture s'unit à son ignorance du latin pour lui faire trouver dans le *Siracide* que Dieu a prévu la vie même des rustres, donc la sienne.

Saint Patrick.

4

On s'est efforcé de démontrer que Patrick était redevable à
Cyprien, Augustin et Victorinus de Pettau. Sauf peut-être pour ce
dernier, ces efforts sont restés stériles. On a également détecté des
formules pélagiennes dans la *Confession*. Puisque l'Église bretonne
fut fortement influencée par le pélagianisme au cours des troisième
et quatrième décennies du ve siècle, cette hypothèse est raisonnable ;
mais les preuves fournies sont loin d'être suffisantes. Patrick n'était
guère versé en théologie ; son bagage littéraire était maigre. En
ces domaines, c'était à la Bible de répondre à presque tous ses
besoins.

Ses idées doctrinales sont simples, non naïves. Il professe
une règle de foi (*Conf.* 4) qui manifeste une certaine influence
des controverses du ive siècle, mais non de celles du ve [1].
C'est sur quelques vérités centrales du christianisme qu'il
met l'accent : l'activité créatrice de Dieu, sa paternité, sa
providence, son amour, les châtiments qu'il inflige aux
pécheurs, l'expiation accomplie par le Christ, la justification par la foi en lui, la présence de l'Esprit dans le cœur
des croyants. Avant tout, Patrick souligne que la foi est ce
qui soutient et imprègne toute la vie chrétienne, face à
l'adversité ou à l'hostilité. Il insiste aussi constamment sur
la nécessité de la reconnaissance envers Dieu. Sa *Confession*
est pleine d'une gratitude qui, d'une manière touchante,
passe à travers son mauvais latin et en déborde. A d'autres
points de vue, cependant, la doctrine de Patrick est telle
qu'on peut l'attendre d'un évêque du ve siècle : l'existence
du ciel et de l'enfer, la nécessité du baptême et de la confirmation, le ministère des évêques (auxquels le Christ a
conféré l'autorité suprême), des prêtres et des diacres, les
commandements, la vie de prière.

Alors que les anciens Irlandais rendaient un culte au
soleil visible — ce qui, d'après Patrick, sera pour eux une
source de châtiments (*Conf.* 60, 3-4 ; voir ci-dessus p. 31-
32) —, Patrick voit dans le Christ le soleil véritable (*Conf.* 60,
5) : c'est lui qui a dissipé son rêve de paralysie (*Conf.* 20, 7-
8), c'est à sa clarté qu'il ressuscitera (*Conf.* 59, 9).

1. Voir R. P. C. Hanson, « The Rule of Faith of Victorinus and
of Patrick », dans *Latin Script and Letters* (= Mélanges présentés à
L. Bieler), Leiden 1976.

L'Église primitive a, comme Patrick, rendu un culte au Christ-soleil et, longtemps encore après le triomphe du christianisme dans l'Empire romain, les autorités ecclésiastiques jugèrent nécessaire d'interdire l'adoration du soleil [1].

Comme Salvien (*De gubernatione, passim*), comme Eugippe (*Vita sancti Severini* 8, 2, 11 ; 8, 4, 12), Patrick identifie (*Ep.* 2, 3-5) *Romani, Galli* et *christiani* et les oppose à la barbarie d'une « race étrangère qui ignore Dieu ». Il affirme qu'il vit parmi des étrangers (*Conf.* 1), des barbares (*Ep.* 1). Et cependant des Bretons chrétiens peuvent, d'après lui, cesser d'être concitoyens des saints romains, pour devenir concitoyens des démons, associés aux Scots et aux Pictes (*Ep.* 2), alors que lui-même s'est fait, par son ministère, le serviteur des Irlandais (*Ep.* 10) et même l'un d'entre eux (*Ep.* 16). Ainsi le nationalisme breton fait-il place, chez Patrick, à une attitude plus ouverte, sans doute inspirée par sa foi chrétienne.

1. Voir F. J. Dölger, « Das Sonnengleichnis in einer Weihnachtspredigt des Bischofs Zeno von Verona » (*Antike und Christentum* 6, 1940, p. 1-58) et N. H. Baynes, *Constantine the Great and the Christian Church*, Oxford 1972, p. 99-100. Voir aussi, dans la nécropole préconstantinienne qui est sous la basilique Saint-Pierre de Rome, la mosaïque du plafond qui représente le Christ-Helios dans le char du soleil, reproduite par H. Dörries (*Konstantin der Grosse*, Stuttgart réimpr. 1967, p. 14), P. du Bourguet (*La peinture paléo-chrétienne*, Amsterdam-Paris 1965, planche 130) et J. Lassus (*The Early Christian and Byzantine World*, Londres 1967, p. 23, planche 13). Le récit connu sous le nom de *Passio quattuor coronatorum* (*Acta sanctorum*, nov. III, p. 748-784) raconte aussi l'histoire de quatre sculpteurs chrétiens de Pannonie, prêts à faire une statue du dieu du Soleil pour l'empereur Dioclétien, mais refusant de sculpter la statue d'Esculape et martyrisés pour cela. Clément d'Alexandrie peut désigner le Christ comme ὁ πάντα καθιππεύων δικαιοσύνης ἥλιος (*Protr.* XI, 14, 3) et Victorinus de Pettau — avec qui Patrick a d'autres affinités — compare deux fois le soleil au Christ (*Comm. Apoc.* I, 3 et X, 1, *CSEL* 49, p. 20, 88). Une anecdote circulait enfin au sujet de l'ascète Arsène, qui vivait probablement à la fin du IVe siècle : « On disait de lui que, le soir du samedi, alors que le dimanche s'apprêtait à resplendir, il tournait le dos au soleil et tendait ses mains vers le ciel en priant jusqu'à ce que, de nouveau, le soleil éclairât sa face » (*Les apophthegmes des Pères du désert*, éd. et trad. J.-C. Guy, Abbaye de Bellefontaine, t. I, s. d., p. 37).

Si fragmentaire que soit notre connaissance de Patrick, ses écrits nous font pourtant rencontrer un homme plein de méfiance envers lui-même, véritablement humble et pourtant capable de prendre des décisions importantes, malgré l'avis contraire de ses supérieurs, et d'affirmer résolument son autorité épiscopale face à une soldatesque impitoyable qui a organisé un massacre.

Les malheurs auxquels il s'attend contredisent formellement la tradition ultérieure, d'après laquelle Patrick aurait surmonté avec une assurance imperturbable tous les dangers et toutes les menaces sans exception. Il est capable de grands sacrifices au service de Dieu ; il a goûté dans la prière des expériences extraordinaires ; il saisit avec fermeté les vérités centrales et durables du christianisme et rien d'autre ne lui importe vraiment. Aux chapitres 34 et 55 de la *Confession*, Patrick paraît vouloir souligner que l'honneur qu'il a reçu de Dieu n'était pas mondain, mais spirituel et que même cet honneur-là n'était pas mérité. S'il rencontre l'opposition du monde et l'adversité, il ne s'en vante pas et ne considère pas cela comme un signe de vertu et de sainteté (*neque meipsum iudico* : *Conf.* 55, 7) : il pense que c'est tout ce qu'il mérite ; mais, en même temps, il est heureux d'être rendu conforme à la pauvreté du Christ.

Quant à savoir si Patrick fut moine, c'est une question fort débattue, comme beaucoup d'autres [1]. Il fait plusieurs fois allusion aux moniales et aux moines que lui-même, étant évêque, a institués en Irlande. Mais nous reviendrons sur le monachisme que Patrick a connu, et peut-être pratiqué, dans un *Excursus* consacré spécifiquement à la vie et au vocabulaire ecclésiastiques (p. 165 s.).

---

1. Pour les arguments de part et d'autre, voir *LP*, p. 41 ; E. MAC-NEILL, *St. Patrick*, éd. J. Ryan, Dublin 1958, p. 46 ; P. GROSJEAN, *AB* 75, p. 173-174 ; Christine MOHRMANN, *The Latin of St. Patrick*, p. 27, 47-48 ; Nora CHADWICK, *The Age of the Saints in the Early Celtic Church*, Oxford 1961, p. 23, 34, 35 ; *PB*, p. 118 ; J. MORRIS, « The Dates of the Celtic Saints », *JTS* 17, 1966, p. 352-353 ; *POC*, p. 140-148, qui est, jusqu'à ce jour, l'étude la plus approfondie sur ce sujet.

IV. — L'INTÉRÊT ACTUEL DE PATRICK

Comme tout ce qui a quelque rapport avec l'Irlande, Patrick a servi d'arme à l'antagonisme confessionnel. Mais Patrick était simplement un évêque du ve siècle, ni plus soumis au siège de Rome que d'autres évêques occidentaux de son époque, ni plus indépendant qu'eux. Que nous lui comparions le catholicisme irlandais moderne ou le protestantisme irlandais moderne, dans l'espoir d'y trouver un matériel utile à une idéologie ou à une propagande sectaire, notre effort sera également stérile et nocif à la véritable connaissance de Patrick.

Mais l'étude de Patrick a, pour ses lecteurs, une valeur authentique et durable, qui n'a pas été saisie jusqu'à présent aussi pleinement qu'elle le mérite. Son latin et ses citations scripturaires devraient retenir l'attention : leur importance commencera à paraître si l'on saisit que Patrick est pratiquement, avant Gildas au vi^e siècle, l'unique représentant du texte de la Bible latine utilisé en Bretagne.

On peut dire, en effet, qu'a échoué la tentative de A. Souter (*Pelagius' Expositions of the Thirteen Epistles of St. Paul*, Cambridge 1922), qui prétendait démontrer que nous possédons, dans les *Expositions* de Pélage, un témoin du texte de la Bible latine utilisé en Bretagne.

Patrick est également, avant Gildas, l'unique écrivain breton, dont on puisse affirmer que l'œuvre reflète le visage et la vie de l'Église de Bretagne.

Nous pouvons sans doute croire Gennade, lorsqu'il affirme que Fastidius était un évêque breton ; il est cependant fort peu probable que nous ayons le moindre ouvrage de lui à notre disposition [1]. Nous possédons quelques écrits de Pélage, mais il quitta

---

1. Voir *POC*, p. 40-44 ; G. de PLINVAL, *Pélage, ses écrits, sa vie et sa réforme*, Paris 1943, p. 46. Je n'admets pas les vues de J. MORRIS (« Pelagian Literature », *JTS* 16, 1965, p. 26-60, et « The Lite-

la Bretagne trop tôt pour que son œuvre puisse être sérieusement utilisée par ceux qui désirent apprendre quelque chose de la vie de l'Église en Bretagne. La même remarque vaut pour Fauste de Riez.

Bien que Patrick écrive en Irlande, nous avons en lui un écrivain qui a reçu la formation d'un homme d'église breton. A cet égard, il est à peu près unique dans l'Antiquité. Les historiens de la fin de l'Empire romain et les spécialistes du latin vulgaire devraient profiter davantage de la lumière — même voilée et fragmentaire — que Patrick projette sur les derniers jours de l'Empire romain et le dernier état de la langue latine en Bretagne [1].

Patrick nous présente, en outre, le portrait d'un évêque à l'œuvre au ve siècle et ce portrait est peint de sa main. Nous avons certes d'autres textes et de plus complets sur le même sujet, par exemple chez Augustin et chez Sidoine Apollinaire. Mais Patrick ajoute des éléments précieux à notre connaissance de la vie de l'Église au ve siècle : son insistance sur la confirmation (*Conf.* 38, 3 ; 51, 4-5 ; *Ep.* 3, 1) et sa narration de la procédure suivie pour le rachat des prisonniers (*Ep.* 14, 1-4), par exemple. L'importance de Patrick est d'autant plus grande qu'il œuvre en Irlande : les éléments de notre connaissance de l'Irlande du ve siècle sont, en effet, rares et incertains. Patrick nous procure une source écrite de première main, bien que ses allusions à l'Irlande soient indirectes et fortuites (voir ci-dessus p. 29-32). Il nous fait aussi rencontrer l'un des peuples les moins connus de la Bretagne, les Pictes (ci-dessus p. 22-23). Nous pouvons donc considérer Patrick comme un des auteurs du *corpus* de littérature patristique, un des rares auteurs bretons.

Mais l'aspect le plus prenant de Patrick, c'est sans doute sa personnalité : en lui, nous faisons une rencontre excep-

rary Evidence », *Chritianity in Britain* 300-700, p. 61-62), apparemment adoptées par W. H. C. Frend (« The Christianisation of Roman Britain », *ibid.*, p. 45-46), sur la possibilité d'attribuer à des auteurs bretons un grand nombre de traités pélagiens ; voir *POC*, p. 40-46.

1. Voir p. 155-163.

tionnelle, celle d'un homme du Bas-Empire romain qui nous
livre en quelque sorte une autobiographie vraie et sans
artifice. Si cahotante, maladroite, embarrassée et grossière
que soit sa prose, elle a une sincérité que n'a pas celle d'Augustin et qu'elle ne peut pas avoir. Augustin était un *rhetor*
et, bien qu'il se soit finalement retiré de cette profession, il
ne pouvait s'empêcher d'écrire le reste de sa vie comme
un *rhetor*, même lorsqu'il adressait de simples sermons au
peuple de l'*Ecclesia pacis* d'Hippone. Patrick — il nous
le dit lui-même — était incapable de rhétorique. Mais le
résultat en est une prose d'une vérité, d'une simplicité et
d'une transparence inhabituelles. Par elle, nous accédons
à son âme. Nous sentons que nous le connaissons de l'intérieur et nous trouvons en lui une personnalité qui mérite
bien d'être connue. Patrick n'est pas, comme son contemporain Germain d'Auxerre, un saint de vitrail, anémié et
présenté par une hagiographie adulatrice : c'est un homme
vivant et concret : peu d'hommes sont parvenus dans
l'Antiquité à se rendre aussi transparents à la postérité.
Plus rares encore les chrétiens qui y sont parvenus. Parmi
les anciens Bretons, Patrick est le seul dont nous puissions
dire que notre connaissance va au-delà de son nom et des
détails de sa carrière. Sa personnalité d'homme, de chrétien
et d'évêque est fascinante et émouvante (voir p. 48-52).

V. — MANUSCRITS ET ÉDITIONS

1. Manuscrits

Il y a, pour les deux ouvrages de Patrick, sept manuscrits auxquels on peut attribuer quelque importance [1]. Dans la liste ci-dessous, le choix des sigles est celui de Bieler ; mais, parce que des éditeurs antérieurs en ont utilisé d'autres, je joins une table avec les différents sigles des mêmes manuscrits.

D. La *Confession* telle qu'elle se trouve dans le *Livre d'Armagh*. Ce manuscrit peut être daté avec assez de précision des environs de 807. La copie fut exécutée à Armagh par un scribe du nom de Ferdomnach. Mais elle comporte des omissions considérables, qui seront discutées ci-dessous (p. 61).

P. Ce manuscrit contient à la fois la *Confession* et l'*Épître*, qui faisaient partie, à l'origine, d'un recueil intitulé *Vitae Sanctorum mensis Martii* au monastère de Saint-Corneille à Compiègne. Il a été écrit au Xe siècle et se trouve actuellement à la Bibliothèque nationale à Paris.

C. Au *British Museum* (Londres) parmi les manuscrits Cotton. Il a été écrit à Worcester vers l'an mille et appartenait primitivement à un passionnaire. Il contient à la fois la *Confession* et l'*Épître*.

R. Écrit sur les derniers feuillets d'un manuscrit, copie incomplète de la première partie seulement de la *Confession*,

---

1. Comme toute description des manuscrits de Patrick, ce chapitre doit beaucoup à L. BIELER, *Codices Patriciani Latini* et *LEB* 1, p. 7-55 ; toutefois, à une présentation des manuscrits et de leurs familles conforme à celle de Bieler, nous ajoutons nos propres remarques sur la valeur des manuscrits, les critères à observer dans leur utilisation et les omissions de D. Dans la liste ci-dessous, nous omettons, d'autre part, un manuscrit sur papier écrit au XVIIe siècle (*Bodleian Library*, Oxford, B 480 - Clarendon 91), qui n'est qu'une copie de D et dont la valeur — s'il en a une — est faible.

il date probablement du XIe siècle et faisait primitivement partie d'un recueil de *Vitae Sanctorum* de Jumièges. Il est actuellement, assez délabré, à la Bibliothèque municipale de Rouen.

G. Manuscrit écrit au cours du premier quart du XIIe siècle, contenant *Confession* et *Épître*, il appartenait à un recueil de *Vitae Sanctorum*, écrit probablement à Salisbury (Angleterre). Il est actuellement à la *Bodleian Library*, Oxford (*Fell* 4).

F. Également écrit au XIIe siècle (vers le milieu) en Angleterre, probablement à Salisbury, il faisait partie d'un recueil de *Vitae Sanctorum* et renferme *Confession* et *Épître*. Il se trouve maintenant à la *Bodleian Library*, Oxford (*Fell* 3).

V. Manuscrit du XIIe siècle contenant à la fois la *Confession* et l'*Épître*, il faisait partie d'un recueil de *Vitae Sanctorum*, primitivement au monastère Saint-Vaast à Arras. Il se trouve actuellement à la Bibliothèque municipale d'Arras. Deux folios manquent (*Conf.* 20, 3 à 40, 22 et *Conf.* 59, 2 à *Ep.* 15, 7), mais peuvent être reconstitués avec précaution grâce à l'édition des Bollandistes (voir ci-dessous p. 63).

Manuscrits	*Sigles*		
	Haddan-&-Stubbs et Stokes	White	Bieler
Livre d'Armagh	Livre d'Armagh	A	D
ms. de Paris	—	P	P
ms. Cotton	C	C	C
ms. de Rouen	—	R	R
ms. d'Oxford Fell⁴	F³	F⁴	G
ms. d'Oxford Fell³	F¹	F³ (ou F)	F
ms. d'Arras	B	B (Boll)	V (v)

Les sigles (Boll) de White et (v) de Bieler concernent les leçons de l'édition des Bollandistes. R n'a pas été signalé

à l'attention avant 1903 ; c'est pourquoi il n'apparaît ni
dans les sigles de Haddan-&-Stubbs ni dans ceux de Stokes ;
P n'a été identifié qu'après 1905 : aussi n'apparaît-il pas
dans la première édition de White (1905), mais dans la
seconde (1918). La main d'un correcteur est visible tout
au long de G : White lui a donné le sigle F⁴*, mais seulement
lorsqu'il représentait une correction du texte original ; Bieler
a indiqué le correcteur par G' ; pour cette édition-ci, nous
avons adopté G².

En plus de ces manuscrits, il y a dans les vies médiévales
de Patrick (Muirchú, *Vita II*, *Vita III*, *Vita Probi* et *Vita
Tripartita* [1]) des citations ou des références aux ouvrages
de Patrick, indépendantes de la plupart des manuscrits exis-
tants et qui peuvent être utilisées avec précaution pour
établir le texte de ses ouvrages.

L'histoire de la tradition manuscrite de la *Confession*
et de l'*Épître* a, jusqu'à un certain point, été reconstituée
par les travaux de White et de Bieler. Il est évident que D
provient d'une tradition toute différente de celle dont
dérivent P V R F C G. D est un manuscrit irlandais et fait
partie d'une collection de textes classiques de l'Église
d'Armagh. A la famille P V R F C G, Bieler donne le sigle
Φ ; ils proviennent d'une collection de passionnaires en
usage au N.-O. de l'Europe. A l'intérieur de Φ Bieler distingue un groupe (R) F C G des autres manuscrits (à savoir
de P V) et appelle ce groupe Δ ou, quand R fait défaut, δ.
Il note également que, comparés à D P V, les manuscrits de Δ
sont de qualité inférieure. A l'intérieur même de Δ, un sous-
groupe plus restreint est formé par C et G, sous-groupe
auquel Bieler donne le sigle Δ², qui représente le modèle
commun à ces deux manuscrits. F et R sont indépendants
non seulement de Δ² mais l'un de l'autre. P a un texte assez
différent de V et de Δ. V a été beaucoup remanié, de sorte
qu'habituellement on peut davantage faire confiance à D.
R a été plus remanié que F, et G que C.

---

1. Pour les particularités de ces *Vies*, voir L. Bieler, *Codices
Patriciani Latini*, p. 18-20, 22-29, 34-37, *LEB* 1, p. 23-27, 106-111,
et *Four Latin Lives of Patrick*, p. 1-42.

Stemma des manuscrits de la famille Φ [1] :

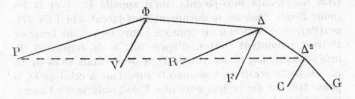

Plusieurs indices paléographiques font présumer que l'archétype commun à la famille Φ fut copié sur un manuscrit irlandais dans un monastère du continent. Cette copie peut probablement être mise en relations avec deux frères irlandais, les saints Fursa et Foillan, tous deux missionnaires d'abord en Angleterre (dans la région de l'East Anglia), puis en France du côté de Péronne. Fursa, qui était particulièrement attaché au culte de S. Patrick, emporta avec lui des reliques du saint et les déposa dans un monastère, à Péronne même ou dans les environs. S. Foillan peut avoir apporté, après son séjour en Angleterre, le manuscrit de la *Confession* en France. Les deux frères quittèrent l'Irlande vers 630 et moururent en France après 640. Bieler suggère donc que Foillan apporta en France le modèle irlandais de Φ. Il pense également que D et Φ sont indépendants l'un de l'autre.

Toutefois une série de corruptions identiques ou presque identiques en D et en Φ montrent qu'ils ont eu un ancêtre commun, Ω, qui, à cause de ces corruptions, ne peut pas être l'autographe, mais auquel Bieler attribue l'origine du colophon présenté par D : *huc usque uolumen quod Patricius manu conscripsit sua.* Ω est donc l'archétype commun de tous les manuscrits actuellement connus.

Bieler postule ensuite l'existence d'un manuscrit Ψ, qui représente le texte des ouvrages de Patrick, tels qu'ils sont cités dans la tradition ultérieure, à savoir par Muirchú, la

1. La ligne en pointillé suggère une parenté possible mais non démontrée entre P et Δ².

Vita II, la *Vita III,* la *Vita IV,* la *Vita Probi* et la *Vita Tripartita.* Pour sa critique textuelle, il réduit ces ouvrages à
trois documents sous-jacents, qu'il appelle U, J et B Ph
(pour *Bethu Phátraic,* le document sous-jacent à la *Vita Tripartita*), avec Muirchú en annexe. Leurs leçons du texte de
Patrick remontent toutes, d'après lui, à un manuscrit Ψ,
indépendant non seulement de D et de Φ, mais aussi de Ω,
et son texte serait en tous points supérieur à celui de D. Il
pense trouver des indices pour que Ψ soit antérieur à l'archétype de la famille Φ, c'est-à-dire antérieur à 630 environ,
et croit pouvoir reconstituer le texte de Ψ aux chapitres 1
et 2, 16 à 20, 22 et 23 de la *Confession.*

Bieler appelle Σ l'origine commune à la fois à Ω et à Ψ,
l'archétype de tous les manuscrits, qu'ils soient actuellement
connus ou que leur existence ne soit qu'hypothétique. Σ
aurait été intitulé *Libri epistolarum sancti Patricii episcopi*
et conservé à Armagh, où l'on aurait gardé des copies des
lettres de Patrick, car il aurait fait faire plusieurs copies de sa
Confession, mais pas plus d'une copie de ses lettres. Le colophon de la fin de D remonterait, dans ce cas, à Σ et l'on
pourrait supposer que Σ était une copie de l'original de la
Confession (mais non de l'*Épître*). Bieler en conclut que Σ
doit être daté, au plus tard, du premier tiers du viie siècle.

Nous pouvons admettre la plupart des conclusions de
Bieler comme bien établies ; cependant il subsiste des incer-
titudes, des difficultés et des points d'interrogation. Il ne
convient pas de considérer Ψ, le texte cité par les Vies,
comme la meilleure tradition manuscrite : les auteurs de
ces Vies étaient, en effet, enclins à modifier le texte, soit
par inadvertance soit délibérément, au profit de leur conception de Patrick, conception fort éloignée du Patrick historique [1]. Ils n'étaient pas dans les mêmes dispositions qu'un
scribe recopiant un manuscrit. D'autre part, les distinctions
à faire parmi les ouvrages rassemblés dans Σ — puisque
seule la *Confession* y aurait été une copie du texte original
— ne suggèrent pas un recueil composé à Armagh et remontant, grâce à une succession ininterrompue, aux dossiers

---

1. Voir ci-dessus p. 16.

de Patrick ou à sa chancellerie. Dans sa reconstitution de l'histoire des manuscrits, Bieler laisse sans réponse la question : mais pourquoi le *Livre d'Armagh*, qui fut certainement compilé à Armagh, ne renferme-t-il de Patrick qu'une *Confession* abrégée ou mutilée ?

A un regard attentif sur les omissions de la *Confession* dans le *Livre d'Armagh*, il paraît évident que ces omissions ne peuvent être dues au hasard, exclu par la cohérence — au double point de vue de la syntaxe et du sens — des phrases qui subsistent après ces omissions. Des expressions telles que *reliqua usque dicit saeculi* et *reliqua sunt exempla* de *Conf.* 40, 11 et 17 (voir app.) démontrent qu'une de ces omissions, au moins, a été volontaire. La théorie selon laquelle D renfermerait le texte original, et les autres manuscrits une version interpolée ou allongée, soulève plus de problèmes qu'elles n'en résout [1]. Le fait que Tírechán connaît un passage de la *Confession* [2] qui n'apparaît pas dans la version de D pèse d'un grand poids contre une pareille hypothèse. Bien qu'il ne soit pas facile de déterminer les motifs qui ont occasionné l'abréviation de la *Confession* en D, on ne peut douter que ces omissions proviennent d'une volonté délibérée [3].

Si considérable que soit la valeur de l'œuvre de Bieler, il

---

1. Voir des suggestions de ce genre dans D. POWELL, « The Textual Integrity of St. Patrick's Confession », *AB* 87, 1969, p. 387-409 ; « St. Patrick's Confession and the Book of Armagh », *AB* 90, 1972, p. 371-385 ; mais voir aussi des arguments solides à l'encontre de théories de ce genre dans N. J. D. WHITE, *Libri Sancti Patricii*, p. 207-208 ; R. P. C. HANSON « The Omissions in the Text of the Confession of St. Patrick in the Book of Armagh », *Studia Patristica* XII, 1975, p. 91-95 ; P. GROSJEAN, « Analyse du Livre d'Armagh » et « Notes sur les documents anciens concernant S. Patrice », *AB* 62, 1944, p. 33-41 et 42-73 ; R. P. C. HANSON, « The D-Text of Patrick's *Confession* : Original or Reduction ? », *PRIA* 77, 1977, p. 251-256.

2. *Livre d'Armagh*, f⁰ 10ᵛ b, ligne 34 (*Conf.* 53).

3. Il faut noter qu'à plusieurs reprises D a le sigle z dans la marge ; son sens exact nous échappe, mais il semble signaler des mots ou des passages où le scribe n'était pas sûr de ce qu'il lisait. Les endroits où ce sigle apparaît ont été indiqués dans l'apparat critique, ainsi que le début et la fin des omissions de D.

reste encore beaucoup à examiner et beaucoup à découvrir dans la transmission du texte de Patrick, spécialement aux premières étapes de son histoire. Un examen attentif de Muirchú et de Tírechán, en particulier, mettrait en lumière le culte de Patrick, tel qu'il était pratiqué au VIIe siècle, cent ans environ avant que Ferdomnach copie le *Livre d'Armagh*, et contribuerait à établir où et comment les ouvrages de Patrick ont été étudiés et utilisés au VIIe siècle.

Les remarques suivantes voudraient aider à juger de la valeur des manuscrits et à comprendre les principes suivis et la méthode adoptée pour choisir les leçons du texte imprimé ci-dessous :

— F est rarement exact, si ce n'est jamais.

— D n'est pas, malgré sa grande valeur, un guide infaillible et ne doit pas nécessairement être pris comme texte de base, comme l'ont fait beaucoup d'éditeurs antérieurs à Bieler. Il comporte parfois des variantes résultant de l'emploi de leçons parallèles ou synonymes : par exemple, *confirmarem/conuerterem* (*Conf.* 2, 2), *perficere/perspicere* (*Conf.* 6, 2), *repleti/releuati* (*Conf.* 19, 15).

— P est certainement un manuscrit de grande valeur ; il comporte, lui aussi, de telles variantes, quoique jamais les mêmes que D : par exemple, *exceptus/expertus* (*Conf.* 25, 6), *inimicorum/iniquorum* (*Ep.* 8, 1), *dissensionem/defensionem* (*Conf.* 32, 3), *agnoscunt/cognoscunt* (*Ep.* 11, 1), *legem/gregem* (*Ep.* 12, 6).

— G et, à un moindre degré, R ont été corrigés plus que les autres, quoique G² fasse parfois des corrections pleines de sagacité, acceptées par les éditeurs ultérieurs : par exemple, *nam quod* (*Conf.* 25, 8), *oportebat* (*Conf.* 40, 5), *pro* (*Conf.* 46, 8), *distribuunt* (*Ep.* 19, 3).

2. Éditions [1].

a. *Les éditions antérieures*

Sir James Ware, *S. Patricio ascripta opera*, Londres 1656 : première édition « critique » — et l'unique avant Had-

---

1. N. J. D. WHITE donne dans *Libri Sancti Patricii*, p. 233-234, une liste plus complète des éditions et les commente.

dan et Stubbs (1873). L'auteur a utilisé les manuscrits D, F, C et G. Une correction faite par lui (*Conf.* 58, 1) s'est trouvée conforme au manuscrit P, découvert 350 ans plus tard.

Acta sanctorum, martii II, p. 533-540, Anvers 1668 : formellement attribuée à A. Denis, cette édition paraît due à D. Papebroch, d'après les arguments apportés par P. Grosjean (une recension parue dans *AB* 64, 1946, p. 284) et L. Bieler (*LEB* 1, p. 55). Ignorant l'édition précédente, elle suit le manuscrit V, qu'elle corrige très souvent en vue d'obtenir un latin correct. Toutefois, parce que V était un bon manuscrit, dont plusieurs folios se sont perdus depuis cette édition, il arrive qu'elle, et elle seule, conserve la bonne leçon ou bute contre elle : par exemple, *etsi uetantur* (*Conf.* 42, 14), *praenuntiaturos* (*Conf.* 34, 16). Nous désignons ce texte par le sigle v.

A. Gallandi, *Bibliotheca patrum*, t. X, p. 159-182, Venise 1774. L'éditeur tient compte des deux éditions antérieures, mais sans avoir eu lui-même accès aux manuscrits [1].

A. W. Haddan & W. Stubbs, *Councils and Ecclesiastical Documents relating to Great Britain and Ireland*, 2 vol., Oxford t. I, 1873, t. II, 1878, tous deux réimprimés en 1964, p. 296-319 : malgré une certaine connaissance des manuscrits D, V, F, C et G, ces éditeurs ont adopté trop souvent les corrections des Bollandistes. [H-&-S]

Whitley Stokes, *The Tripartite Life of St. Patrick and other Documents relating to that Saint*, Londres, Rolls Series 1887, t. II, p. 357-380. Dépendant essentiellement de deux manuscrits (D et C), son texte n'est pas acceptable non plus ; mais son jugement d'éditeur valait mieux que les manuscrits dont il disposait et il avait, plus que ses prédécesseurs, le sens du latin de Patrick. C'est ainsi que deux corrections qu'il avait proposées (*Conf.* 59, 5 ; *Ep.* 18, 6) se sont trouvées conformes au manuscrit P. [Stokes]

---

1. Son texte a été reproduit par Migne : *PL* 53, 801-818.

N. J. D. White, « Libri Sancti Patricii », Dublin 1905, *Proceedings of the Royal Irish Academy* 25, p. 201 s. Cette première édition, quoique de beaucoup supérieure à tout ce qui l'a précédée, suit encore les Bollandistes de trop près. [White[1]]

N. J. D. White, *Libri Sancti Patricii*, Londres 1918 : grâce au contact avec P, cette seconde édition marque un net progrès ; elle ne donne cependant pas entière satisfaction, parce qu'elle ne paraît pas suivre de principe déterminé, parce qu'elle attribue à P une importance démesurée — malgré la haute valeur qu'il convient de reconnaître à ce manuscrit — et parce que, même vers 1918, White n'était pas parvenu à rendre pleinement justice à la nature du latin de Patrick. [White[2]]

L. Bieler, *Libri Epistolarum Sancti Patricii Episcopi*, Dublin, Irish Manuscripts Commission, 1952 : ce texte surpasse celui de tous ses prédécesseurs par l'abondance des attestations, la richesse des références et surtout grâce à sa compréhension du caractère particulier du latin de Patrick. [Bieler]

b. *La présente édition*

Les principes suivants m'ont inspiré pour établir le texte publié ici : toutes les fois où il était possible de donner la préférence à une leçon plus éloignée de l'usage du latin littéraire, c'est cette leçon-là qui a été préférée, pour autant qu'elle ne créait pas de non-sens et qu'elle ne transgressait pas les lois de la grammaire d'une manière qui n'est attestée nulle part. Certaines leçons doivent être préférées, même lorsqu'elles n'ont aucun parallèle exact (par exemple, *cooperasti* : *Conf.* 34, 7). C'est, en effet, le genre de latin qui a le plus de chances d'avoir été primitivement écrit par Patrick et corrigé ou corrompu par des copistes ultérieurs. D'après cette méthode, il ne convient ni d'accepter régulièrement — encore moins, automatiquement — les leçons de l'un ou l'autre des meilleurs manuscrits, D ou P, ni forcément celles d'une combinaison quelconque de ces manuscrits avec d'autres, quoiqu'il faille accorder à ces manuscrits le crédit qu'ils méritent. Chaque leçon doit être déterminée pour elle-même.

Dans l'apparat critique, j'ai souvent noté les leçons des éditeurs du texte, parfois aussi les conjectures et corrections proposées par d'autres, pour que le lecteur puisse se faire quelque idée de l'histoire de la critique exercée sur le texte de Patrick. Les abréviations utilisées pour les éditeurs ont été indiquées ci-dessus entre crochets carrés.

3. Traductions

Les ouvrages de Patrick ont été traduits plusieurs fois en anglais, une fois en allemand et une fois en irlandais. Une traduction française, due à Georges Dottin, a paru, avec une introduction et des notes, en 1909 (coll. « La vie des saints », chez Bloud et Cie), sous le titre *Les livres de saint Patrice, apôtre de l'Irlande.* D'après L. Gougaud, qui lui emprunte toutes ses traductions françaises, « on ne pouvait rendre plus fidèlement le style gauche, l'accent ingénu et si touchant de l'écrivain » (*Les chrétientés celtiques*, p. 43, note 4).

Ma reconnaissance la plus vive revient à Mlle Cécile Blanc, qui a participé à l'élaboration de cet ouvrage, tant par sa critique, sa révision, la restructuration de l'ensemble, que par une traduction entièrement nouvelle des œuvres de Patrick. Je remercie également M. Kerlouégan, qui a bien voulu relire ce travail et nous communiquer ses remarques.

BIBLIOGRAPHIE CONCISE

BIELER L., *Codices Patriciani Latini*, Dublin 1942.
— *The Life and Legend of St. Patrick*, Dublin 1948.
— *The Works of St. Patrick*, *ACW* 17, 1963.
— *St. Patrick and the Coming of Christianity*, Dublin 1967.

BINCHY D. A., « Patrick and his Biographers » (*Studia Hibernica* 2, 1962, p. 1-173).
— *The Fair of Tailtiu and the Feast of Tara*, Oxford 1959.
— « The Date of the So-Called Hymn of Patrick », *Ériu* XX, 1966, p. 234-237.
— *Celtic and Anglo-Saxon Kingship*, Oxford 1970.

BLAISE A. — CHIRAT H., *Dictionnaire latin-français des auteurs chrétiens*, Strasbourg 1954.

BOWEN E. G., *Saints, Seaways and Settlements in Celtic Lands*, Cardiff 1969.

BURY J. B., *Life of St. Patrick*, Londres 1905.

CARNEY J., *The Problem of Saint Patrick*, Dublin 1961.

Celt and Saxon, éd. N. Chadwick, Cambridge 1963.

Christianity in Britain 300-700, éd. M. W. Barley et R. P. C. Hanson, Leicester 1968.

Early Irish Society, éd. M. Dillon, Dublin 1954, réimpr. 1963.

GOUGAUD L., *Les chrétientés celtiques*, Paris 1911, et trad. angl. revue, corrigée et augmentée : *Christianity in Celtic Lands*, Londres 1935.

GROSJEAN P., « Notes d'hagiographie celtique » (*AB* 63, 1945, p. 65-119).
— « Dominicati Rethorici » (*Bulletin du Cange* 25, 7 1955, p. 41-46).
— « Notes d'hagiographie celtique » (*AB* 75, 1957, p. 158-185).

— « Les Pictes apostats dans l'Épître de S. Patrice »
(*AB* 76, 1958, p. 354-378).

HANSON R. P. C., *Saint Patrick : his Origins and Career*,
Oxford 1968.

— « The Rule of Faith of Victorinus and of Patrick »
(*Latin Script and Letters*, Festschrift Ludwig Bieler,
Leiden 1976).

HENDERSON I., *The Picts*, Londres 1967.

HUGHES K., *The Church in Early Irish Society*, Londres 1966.

— *Early Christian Ireland*, Londres 1972.

JACKSON K., *Language and History in Early Britain*, Edimbourg 1953.

KENNEY J. F., *Sources for the Early History of Ireland*, New-York 1927, revu par L. Bieler et réimpr. 1966.

Latin Script and Letters, éd. B. Naumann et J. O'Meara,
Leiden 1976.

MOHRMANN C., *The Latin of St. Patrick*, Dublin 1961.

MULCHRONE K., « Die Abfassungszeit und Überlieferung der
Vita Tripartita » (*Zeitschrift für Celtische Philologie*
XVI, 1927, p. 1-94).

O'RAHILLY T. F., *The Two Patricks*, Dublin 1942.

— *Early Irish History and Mythology*, Dublin 1946.

O'RAIFEARTAIGH T., « St. Patrick's Twenty-eight Days'
Journey » (*Irish Historical Studies* 64, 1969, p. 395-416).

Saint Patrick, éd. J. Ryan, Dublin 1958.

Studies in the Early British Church, éd. N. Chadwick, Cambridge 1958.

THOMAS C., *The Early Christian Archaeology of North Britain*, Oxford 1971.

WHITE N. J. D., *St. Patrick, his Writings and his Life*,
Londres 1920.

SIGLES ET ABRÉVIATIONS

Φ = PVRFCG Δ = RFCG
Δ^2 = Δ sans F et R, c'est-à-dire C G
Ω = ancêtre présumé de D et de Φ
Ψ = ancêtre présumé des textes de Patrick cités par la
tradition ultérieure

ac	ante correctionem	om.	omisit
cap.	capitulum	pc	post correctionem
coni.	coniecit	ras.	rasura
del.	deleuit		ras. unius litterae
edd.	editores	scd.	secundum
eras.	erasit	~	transposuit
mg.	margine		

AB	*Analecta Bollandiana*
ACW 17	L. Bieler, *The Works of St. Patrick*
Bieler	commentaire de Bieler dans *LEB* 1, voir p. 64
Blaise	A. Blaise et H. Chirat, Dictionnaire latin-français
Conf.	Patrick, *Confession*
CSEL	*Corpus scriptorum ecclesiasticorum latinorum*, Vienne
Ep.	Patrick, *Épître à Coroticus*
H-&-S	Haddan & Stubbs, voir p. 63
JTS	*Journal of Theological Studies*, Oxford
LA	Liber Ardmachanus : le Livre d'Armagh, voir p. 11
LEB 1	L. Bieler, éd. Libri epistolarum sancti Patricii Episcopi, 1re partie
LEB 2	id., 2e partie
LP	J. B. Bury, *The Life of Saint Patrick*

PB   D. A. BINCHY, « Saint Patrick and his Biographers »
POC   R. P. C. HANSON, *St. Patrick, his Origins and Career*
PRIA   *Proceedings of the Royal Irish Academy*
Sources   J. F. KENNEY, *Sources for the Early History of Ireland*
Stokes   Whitley STOKES, *The Tripartite Life*, voir p. 63
White[1] N. J. D. WHITE, « Libri Sancti Patricii », Dublin 1905, voir p. 64
White[2] *Libri Sancti Patricii*, Londres 1918, voir p. 64

< LIBRI EPISTOLARVM SANCTI PATRICII EPISCOPI

LIBER PRIMVS : CONFESSIO >

1. Ego Patricius peccator rusticissimus et minimus
omnium fidelium et contemptibilissimus apud plurimos
patrem habui Calpornium diaconum filium quendam
4 Potiti presbyteri, qui fuit uico † bannauem taberniae † :
uillulam enim prope habuit, ubi ego capturam dedi.
Annorum eram tunc fere sedecim. Deum enim uerum
ignorabam et Hiberione in captiuitate adductus sum
8 cum tot milia hominum | — secundum merita nostra,

DPVRFCG
Tit. Incipiunt libri sancti patricii episcopi D   incipit confessio
sancti patricii episcopi C   incipit confessio sancti patrici episcopi
qui est xvi kl apl F   incipit confessio sancti patricii episcopi xvi
kl aprili G   incipit beati patricii V   *inscriptio deest in* PR
1, 2 contemptibilis sum D ‖ 3 Calpurnium RF ‖ diaconum PD :
diaconem VΔ ‖ quendam D : quondam (condā P) Φ ‖ 4 banauem
Φ ‖ taberniae (tabinę F) DVΔ : taburniae P ‖ 6 quindecim R ‖ 7
Hyberione V

---

1. Le nom de Patricius n'était pas rare sous le Bas-Empire et
n'avait absolument aucun lien particulier avec la race celtique.
On connaît, entre 260 et 385, six personnages de ce nom dans des
régions aussi éloignées l'une de l'autre qu'Antioche, Baalbeck,
l'Afrique et la Gaule (A. H. M. Jones et J. Martindale, *The
Prosopography of the later Roman Empire*, t. I, Cambridge 1971,
p. 673).
2. A une époque tardive, c'était pure convention qu'un évêque
se désigne lui-même comme un pécheur ; Patrick est, de fait, un
des premiers à le faire. Convention, également, qu'au début de
son ouvrage un écrivain parle de lui-même avec dédain et en déni-
grant ses capacités. C'est ce que fait Sulpice Sévère au début de la

LIVRE DES ÉPÎTRES
DE SAINT PATRICK ÉVÊQUE

Livre I

CONFESSION

I. Jeunesse, capture par des pirates irlandais, miséricorde de Dieu

1. Moi, Patrick [1], un pécheur, le plus rustre et le dernier [2] de tous les fidèles, profondément méprisable pour
un grand nombre, j'ai eu pour père le diacre Calpornius,
fils du prêtre Potitus, qui demeurait au hameau de Bannauem Taburniae ; il avait, dans les environs, un domaine
à la campagne, où je fus fait prisonnier [3]. J'avais alors
environ seize ans. J'ignorais le vrai Dieu et je fus emmené [4] en captivité en Irlande avec tant de milliers
d'hommes [5] ! Nous l'avions bien mérité, car « nous nous

Vie de S. Martin, ainsi que l'auteur (peut-être breton) du *De vita
christiana.* Mais le dénigrement de Patrick par lui-même dépasse
les conventions.

3. On trouvera, rassemblés dans l'*Excursus I* (p. 155) un certain nombre d'expressions propres au latin de Patrick, qui n'ont
pas été relevées dans ces notes-ci.

4. On s'attendrait à *abductus.* En traduisant *adductus* par
« emmené en captivité », on admet que Patrick a pris un mot pour
un autre qui lui ressemble phonétiquement.

5. Imaginant que Patrick parlait ici de milliers d'hommes travaillant sur les terres de son père ou, d'une manière plus plausible, de pirates irlandais capables d'enlever en une seule fois des
milliers d'hommes, certains auteurs, comme R. Weijenborg
(« Deux sources grecques de la Confession de Patrice », dans *Revue
d'Histoire ecclésiastique* 62, 1967, p. 364-365), ont refusé toute
crédibilité aux paroles de Patrick. Mais ce texte peut signifier
simplement « avec tant de milliers d'hommes qui ont enduré
autrefois le même sort ». Voir l'incident qui provoqua la *Lettre* de
Patrick *à Coroticus,* p. 41-43.

quia *a Deo recessimus* et *praecepta eius* non *custodiuimus*
et sacerdotibus nostris non oboedientes fuimus, qui nostram salutem admonebant : et Dominus *induxit super*
12 *nos iram animationis suae et dispersit nos in gentibus*
multis etiam *usque ad ultimum terrae,* ubi nunc paruitas
mea esse uidetur inter alienigenas.

   2. Et ibi *Dominus aperuit sensum cordis mei incredu-*
litatis, ut uel sero rememorarem delicta mea et ut *conuer-*
terem toto corde ad Dominum Deum meum, qui *respexit*
58   4 *humilitatem meam* et misertus est | adolescentiae et igno-
rantiae meae et custodiuit me antequam scirem eum
et antequam saperem uel distinguerem inter bonum et
malum et muniuit me et consolatus est me ut pater fi-
8 lium.

   3. Vnde autem tacere non possum, *neque expedit qui-*
dem, tanta beneficia et tantam gratiam quam mihi
Dominus praestare dignatus est *in terra captiuitatis*
4 *meae* ; quia haec est retributio nostra, ut post correptionem uel agnitionem Dei *exaltare et confiteri mirabilia*
eius coram *omni natione quae est sub omni caelo.*

   DPVRFCG
   10 non oboedientes DΨ : inoboedientes Φ ‖ 10-11 qui nostram
(n̄ram DP) : qui < nos > nostram Bieler ‖ 12 iram — nos² *om.* C
   2, 1 sensum DPV H-&-S Stokes White Bieler : sensus Δ ‖ cordis
mei (meae G²) incredulitatis Φ : incredulitatis meae D H-&-S
Stokes White Bieler ‖ 2 sero rememorarem Φ : serorem orarem
(z *in mg.*) D ‖ conuerterem PV (*forte* Ψ) : conuerterer Δ   confirmarem D   confirmarem ut conuerterer *coni.* Bieler   *v. notam* ‖ 4
misertus Bieler : missertus D   miseratus Φ ‖ est *om.* PVRF ‖ *post*
adoliscentiae (*sic*) + meae Δ ‖ et² *om.* D ‖ 5 meae *om.* Δ ‖ 7 muniuit D : monuit Φ ‖ me PΔ : mei D   *in ras.* V
   3, 3 dominus praestare *om.* D ‖ 4 correptionem : correctionem
G²   correctionem nostram R ‖ 5 exaltare D : exaltaremus P   exal-
taremur VΔ ‖ 6 omni² *om.* RV

   1, 9 Is. 59, 13. — Gen. 26, 5 ‖ 11-12 Is. 42, 25 ‖ 12 Jér. 9, 16 ‖
13 Act. 13, 47
   2, 1 Lc 24, 45. — Jér. 4, 19 ‖ 1-2 Hébr. 3, 12 ‖ 2-3 Joël 2, 12-13 ‖
3-4 Lc 1, 48

étions détournés de Dieu, nous n'avions pas observé ses commandements » et nous avions manqué d'obéissance envers nos évêques qui nous exhortaient pour notre salut : et le Seigneur « a fait passer sur nous la violence de sa colère et nous a dispersés parmi des nations » nombreuses, « jusqu'à l'extrémité » même « de la terre », là où maintenant le peu que je suis demeure parmi des étrangers.

2. Et alors « le Seigneur ouvrit l'intelligence de mon cœur incrédule [1] », pour que je me souvienne, fût-ce tard, de mes péchés, que « je me convertisse [2] de tout mon cœur au Seigneur mon Dieu », qui « a considéré ma bassesse », a pris pitié de ma jeunesse et de mon ignorance, m'a gardé avant que je le connaisse et avant que je sois sensé et sache faire la distinction entre le bien et le mal, m'a fortifié [3] et m'a consolé comme un père console son fils.

3. Aussi ne puis-je taire — « et cela ne convient certes pas » — tant de bienfaits et la grâce si grande que le Seigneur a daigné m'accorder « dans la terre de ma captivité » ; voici, en effet, ce que nous pouvons rendre à Dieu, c'est [4], après avoir été réprimandés et avoir reconnu Dieu, de « magnifier et de confesser ses œuvres admirables en présence de toute nation demeurant quelque part sous le ciel ».

3, 1-2 II Cor. 12, 1 ‖ 3-4 II Chr. 6, 37 ‖ 5-6 Is. 25, 1. Cf. Ps. 88, 6 (89, 5) ‖ 6 Act. 2, 5

1. Littéralement : « de mon cœur d'incrédulité ».
2. BIELER fait remarquer (*LEB* 2) que *conuertere* = « se convertir » est bien attesté.
3. Cet emploi de *munio* est attesté chez Augustin, S. Léon et dans les Sacramentaires grégorien et léonien.
4. Comme BIELER l'a montré (*LEB* 2), cette étrange construction est attestée dans la *V. L.* et, à sa suite, jusqu'au viiie siècle, mais surtout au vie. En *Conf.* 11, 2 ; 12, 7 et 57, 1, Patrick prendra, comme ici, les mots *retributio* ou *retribuere* au sens de « (donner une) réponse pleine de gratitude ». Blaise cite un emploi analogue chez Cyprien et dans les *Psaumes*, mais on peut aussi trouver la même manière d'utiliser ce terme chez un contemporain de Patrick, SALVIEN DE MARSEILLE (*Ad ecclesiam* IV, III, 17).

4. Quia non est alius Deus nec umquam fuit nec ante nec erit post haec praeter Deum Patrem ingenitum, sine principio, a quo est omne principium, omnia tenen-
4 tem, ut dicimus ; et huius filium | Iesum Christum, quem cum Patre scilicet semper fuisse testamur, ante originem saeculi spiritaliter apud Patrem inenarrabi- liter genitum ante omne principium, et per ipsum facta
8 sunt uisibilia et inuisibilia, hominem factum, morte deuicta in caelis ad Patrem receptum, *et dedit illi omnem potestatem super omne nomen caelestium et terrestrium et infernorum et omnis lingua confiteatur ei quia Dominus*
12 *et Deus est Iesus Christus,* quem credimus et expec- tamus aduentum ipsius mox futurum, *iudex uiuorum atque mortuorum, qui reddet unicuique secundum facta sua* ; *et effudit in uobis | habunde Spiritum Sanctum,*
16 donum et pignus immortalitatis, qui facit credentes et oboedientes ut sint *filii Dei* et *coheredes Christi* : quem confitemur et adoramus unum Deum in trinitate sacri nominis.

DPVRFCG
4, 1-2 nec ante nec erit D H-&-S Stokes White Bieler : nec ante erit P   nec erit FΔ^2 nec *vac.* erit R ‖ 2 haec D : hunc Φ ‖ 3 omnia tenentem Ω : omnipotentem omnia tenentem *coni.* Bieler ‖ 3-7 om- nia — principium *om.* V ‖ 4 dicimus DP Δ^2 H-&-S Stokes White : diximus RF   didicimus *coni.* Bieler ‖ huius : eius D ‖ 6 *post* patrem + et Bieler ‖ 8 homo factus F ‖ 9 ad patrem receptum VFΔ^2 : receptum ad patrem R   r. a patre P   *om.* D ‖ 11 et DF : ut PVRΔ^2 ‖ 12 Christus + in gloria est dei patris V ‖ 13 ipsius *om.* D ‖ futurum iudex DPFC : futurus iudex G^2 iudex R (futu- rus R^1)   futurum iudicem V   *v. notam* ‖ 14 facta : opera R ‖ 15 effudit D : infudit Φ ‖ uobis D : nobis Φ ‖ habunde DV : abunde PΔ ‖ spiritus sancti VΔ ‖ 17 dei + patris Φ ‖ et coheredes Christi *om.* V

4, 9-12 Phil. 2, 9-12 ‖ 13-14 Act. 10, 42 ‖ 14-15 Rom. 2, 6 ‖ 15 Tite 3, 5-6 ‖ 17 Rom. 8, 16-17

1. Bieler se demande (*LEB* 2) si Patrick n'avait pas à l'esprit la phrase du *Te Deum* : *iudex crederis esse uenturus.*

4. Car il n'y a pas, il n'y eut jamais auparavant, il n'y aura pas dans la suite des temps d'autre Dieu que Dieu, le Père inengendré, sans commencement, d'où procède tout commencement et qui maintient toutes choses, comme nous le disons; et son Fils Jésus-Christ qui, nous l'attestons, est toujours demeuré avec le Père, engendré spirituellement d'une manière ineffable avant l'origine du monde auprès du Père, antérieur à tout commencement, et par lui ont été créées les choses visibles et les invisibles ; il s'est fait homme ; après avoir vaincu la mort, il a été admis au ciel auprès du Père ; « et (le Père) lui a donné une puissance absolue sur tout être qui se peut nommer au ciel, sur terre et aux enfers ; et toute langue doit lui rendre ce témoignage que Jésus-Christ est Seigneur et Dieu », c'est en lui que nous croyons et lui dont nous espérons la venue prochaine, lui « le juge des vivants et des morts [1], qui rendra à chacun selon ses œuvres et qui a répandu abondamment en vous [2] son Esprit-Saint », don et gage d'immortalité, qui de ceux qui croient et obéissent fait des « fils de Dieu » et des « cohéritiers du Christ » : c'est lui que[3] nous confessons et que nous adorons, un seul Dieu dans la Trinité du nom sacré [4].

2. Ces mots manifestent que nous avons ici une formule utilisée dans la formation catéchétique. Cf. notre article « The Rule of Faith of Victorinus and of Patrick », dans *Bieler Festschrift, Latin Script and Letters AD 400-900*, Leiden 1976.

3. *Quem* a été rapporté à *Christus* (F. R. MONTGOMERY-HITCHCOCK, « The Creeds of SS. Irenaeus and Patrick », dans *Hermathena* XIV, 1907, p. 175), à *Deus* (J. E. L. OULTON, *The Credal Statements of St. Patrick*, Dublin 1940, p. 11) et à la Trinité (BIELER, *LEB* 2). C'est la dernière suggestion qui nous paraît la plus vraisemblable.

4. Des ressemblances frappantes entre ces formules et celles du *Commentaire sur l'Apocalypse* de VICTORINUS DE PETTAU, un évêque de la fin du IIIe siècle, avaient déjà été relevées par KATTEN-BUSCH (*Das apostolische Symbol*, Leipzig 1894, t. II, p. 212-213), avant d'être discutées d'une manière plus approfondie par J. E. L. OULTON (*loc. cit.*) : Patrick et Victorinus emploient tous deux l'expression *morte deuicta* (*Conf.* 4, 8-9 ; *Comm. Apoc.* 1, 2 ; 4, 4 ; 5, 1.2). Mais ce rapprochement perd toute valeur quand on s'aperçoit que cette expression se retrouve chez d'autres, par exemple

5. Ipse enim dixit per prophetam : *Inuoca me in die tribulationis tuae et liberabo te et magnificabis me.* Et iterum inquit : *Opera autem Dei reuelare et confiteri hono-*
4 *rificum est.*

6. Tamen etsi in multis imperfectus sum opto fratribus et cognatis meis scire qualitatem meam, ut possint perspicere uotum animae meae.

7. Non ignoro *testimonium Domini mei,* qui in psalmo testatur : *Perdes eos qui loquuntur mendacium.* Et iterum inquit : *Os quod mentitur occidit animam.* Et idem
61 4 Dominus in euangelio inquit : | *Verbum otiosum quod locuti fuerint homines reddent pro eo rationem in die iudicii.*

8. Vnde autem uehementer debueram *cum timore et tremore* metuere hanc sententiam in die illa ubi nemo se poterit subtrahere uel abscondere, sed omnes omnino
4 *reddituri sumus rationem* etiam minimorum peccatorum *ante tribunal Domini Christi.*

DPVRFCG
6, 1-2 fratres et cognatos meos Δ ‖ 2 perspicere : perficere D
7, 2 eos DPFG : omnes VR *om.* C ‖ et iterum *om.* P ‖ 3 inquit *om.* Φ ‖ 4 in euangelio *om.* D ‖ inquit *om.* DR ‖ 5 pro eo rationem PVFΔ² *scd. aliquot codd. Novi Test. Irenaei Cypriani :* de eo rationem R *scd. alios codd. Novi Test.* rationem de eo D *scd. uulg. et transl. Matthaei in LA*
8, 1 debueram *om.* D

5, 1-2 Ps. 49 (50), 15 ‖ 3-4 Tob. 12, 7
7, 1 II Tim. 1, 8 ‖ 2 Ps. 5, 7 ‖ 3 Sag. 1, 11 ‖ 4-6 Matth. 12, 36
8, 1-2 Éphés. 6, 5 ‖ 4 Cf. Rom. 14, 12 ‖ 5 Rom. 14, 10. II Cor. 5, 10

----

dans le *Liber apologeticus* de Priscillien (*CSEL* 18 : I, 3, 5-6), qu'il faut dater peu avant 385, et dans l'*Hymnus sancti Severini* d'Eugippe (*MGH AA* I, p. xx), composé au début du vɪᵉ siècle. Patrick et Victorinus donnent, l'un comme l'autre, à l'Esprit le nom de *donum et pignus immortalitatis* (*Conf.* 4, 16 ; *Comm. Apoc.* 11, 1), ressemblance plus frappante dans la révision de Jérôme que dans l'original de Victorinus. Il faut noter, d'autre part, que, dans la formule de Patrick, les lignes 4-7, « et son fils Jésus-Christ... antérieur à tout commencement », reflètent nette-

5. Car il a dit lui-même par l'intermédiaire du prophète : « Invoque-moi au jour de la détresse, je te libérerai et tu me glorifieras. » Et il dit aussi : « Il est louable de révéler et de confesser les œuvres de Dieu. »

6. Bien que je sois imparfait en beaucoup de choses, je souhaite néanmoins à mes frères [1] et à mes parents [2] de savoir ma manière d'être, pour qu'ils puissent discerner le désir de mon âme.

7. Je n'ignore pas « le témoignage de mon Seigneur », qui atteste dans le Psaume : « Tu perdras ceux qui profèrent le mensonge. » Il dit aussi : « La bouche qui ment tue l'âme. » Et le même Seigneur dit dans l'Évangile : « De toute parole vaine qu'ils auront proférée, les hommes rendront compte au jour du jugement. »

8. C'est pourquoi j'aurais dû redouter vivement, « avec crainte et tremblement », la sentence de ce jour où nul ne pourra ni se dérober ni se cacher, mais où tous, sans exception, « nous aurons à rendre des comptes devant le tribunal du Seigneur Christ » et même pour les moindres de nos péchés.

---

ment les controverses du ive siècle et ne peuvent remonter à Victorinus, dont la pensée sur la Trinité était rudimentaire et reflétait la doctrine encore fruste de son époque et de son pays. Cette formule ne présente cependant aucun indice de la théologie du ve siècle, ni sur la Trinité, ni en christologie. Aussi, alors qu'Oulton suggérait que Patrick avait lu non l'original du *Commentaire* de Victorinus *sur l'Apocalypse* (où apparaissent les ressemblances les plus frappantes), mais la révision de Jérôme, parue en 406, BIELER a pu démontrer (« The ' Creeds ' of St. Victorinus and St. Patrick », *Theological Studies* 9, 1949, p. 121-124) que, d'après les preuves produites, la « règle de foi » de Patrick, ce qu'au chapitre 14 (1) il appellera sa *mensura fidei* (voir note *ad loc.*) peut lui être parvenue indirectement, tout en s'inspirant de la formule de Victorinus ; voir R. P. C. HANSON, « Patrick and the Mensura fidei », *Studia patristica* X, p. 109-111, et « The Rule of Faith » (voir note 2, p. 75.

1. *Fratribus* ne peut guère désigner ici des frères de Patrick. Un coup d'œil sur les autres passages où Patrick utilise ce mot (p. 169) suggère, pour celui-ci, celui de « frères en Jésus-Christ ».

2. Nul doute que Patrick n'emploie ici le terme de *cognati* parce que ses *parentes* — qu'il mentionne souvent : *Conf.* 23, 2 ; 36, 4 ; 43, 3 ; *Ep.* 1, 8 — sont morts.

9. Quapropter olim cogitaui scribere, sed et usque nunc haesitaui ; timui enim ne *incederem in linguam* homi-num, quia non legi sicut et ceteri, qui optime itaque
4 iura et sacras litteras utraque pari modo combiberunt et sermones illorum ex infantia numquam mutarunt, sed magis ad perfectum semper addiderunt. Nam sermo et loquela nostra translata est in linguam alienam, sicut
8 facile potest probari ex saliua scripturae meae qualiter sum ego in sermonibus | instructus atque eruditus, quia, inquit, *sapiens per linguam dinoscetur et sensus et scien-tia et doctrina ueritatis.*

10. Sed quid prodest excusatio iuxta ueritatem, prae-sertim cum praesumptione, quatenus modo ipse adpeto in senectute mea quod in iuuentute non comparaui ?
4 quod obstiterunt peccata mea ut confirmarem quod ante

DPVRFCG
9, 1 et D : *om.* Φ ‖ 2 inciderem R ‖ in D : *om.* Φ ‖ lingua P ‖ 3 legi Φ : dedici D H-&-S Stokes White[1] didici White[2] Bieler *v. notam* ‖ 4 iura *corr.* J. Gwynn White Bieler : iure Ω *v. notam* ‖ utraque Φ White Bieler : utroque D (z *in mg.*) H-&-S Stokes ‖ 5 ser-mones D : sermonem PΔ studium V ‖ illorum : suum V ‖ 7 lin-gua aliena P ‖ 8 ex saliua Δ : exaliue D (z *in mg.*) P ex saliue V ‖ 11 ueritatis DV : uarietatis PΔ
10, 1 quid *om.* Φ ‖ 3 mea — iuuentute *om.* C ‖ 4 quod[1] D : quia Φ ‖ peccata mea *om.* D ‖ quod[2] D : quodque Φ ‖ ante + non Φ

9, 2 Cf. Sir. 28, 30 (26) ‖ 10-11 Sir. 4, 29 (24)

1. La leçon *legi* (voir app.) est à rapprocher du texte de *Conf.* 10, 5 : *perlegeram.*
2. Contrairement à l'avis de BIELER (*LEB* 2), Patrick ne parle pas ici des études profanes et sacrées, mais du droit romain et des études bibliques. Il pouvait se dire au courant des secondes, non du premier. Pour J. Gwynn, l'auteur de la correction *iura*, voir l'introduction, p. 11 et n. 1.
3. Bieler croit trouver ici une allusion à *Jn* 8, 43 ou au *Ps.* 18 (19), 4, l'un et l'autre utilisant ces deux mots, tant d'après la *V. L.* que d'après la Vulgate. White ne les a pas mis en italique dans sa seconde édition (quoiqu'il l'ait fait dans la première) et je doute qu'il y ait là une réminiscence scripturaire.
4. *Ex saliua scripturae meae* est, d'après BIELER (*LEB* 2),

9. C'est pourquoi, j'ai pensé depuis longtemps à écrire, mais j'ai hésité jusqu'à présent, car je craignais de «devenir la proie de la langue» des hommes, parceque je ne me suis pas instruit [1] comme les autres, qui se sont pénétrés parfaitement de droit et de lettres sacrées [2], l'un et l'autre pareillement, et qui, depuis leur enfance, n'ont jamais changé de langage, mais ont, au contraire, toujours ajouté à la perfection du leur. En effet, nos paroles et nos discours [3] ont été traduits dans une langue étrangère : aussi est-il aisé de reconnaître aux relents [4] de ma manière d'écrire comment j'ai été formé et instruit dans le langage [5] ; il est dit, en effet : « Le sage [6] se reconnaîtra à sa langue, ainsi que son intelligence, sa science et sa doctrine de vérité [7]. »

10. Mais à quoi bon une justification conforme à la vérité, surtout si j'ai la présomption de rechercher maintenant dans ma vieillesse ce que je ne me suis pas procuré dans ma jeunesse [8] ? car mes péchés m'ont empêché de consolider ce qu'auparavant j'avais lu superficielle-

« une expression unique » ; peut-être pouvons-nous suggérer un timide rapprochement avec l'expression *saliua oris eius* — au sens de « joie de sa présence » — dans le *De mirabilibus sacrae scripturae* du PSEUDO-AUGUSTIN, un opuscule écrit par un auteur irlandais du milieu du VIIe siècle (préface, *PL* 35, 2152).

5. Cet ordre des mots revient fréquemment dans les *Psaumes*, mais seulement quand *esse* introduit un adjectif attribut, jamais quand il sert d'auxiliaire verbal (BIELER, *LEB* 2).

6. White écrit *quia, inquit Sapiens, per linguam*, etc., et Bieler *quia, inquit, sapiens per linguam*, etc. Comme c'est longtemps après Patrick que le titre de *sapiens* a suffi à désigner Salomon, mieux vaut suivre le second et supposer, avec lui (*LEB* 2), que, si ce texte de *Sir.* 4, 29 diffère de tous ceux que nous possédons, c'est que Patrick cite de mémoire.

7. BIELER relève (*LEB* 2) la présence de clausules rythmiques dans les phrases qui terminent les chapitres 9 et 10 et croit que, par réminiscence de ses années d'école, Patrick a délibérément parodié le style de Cicéron. Mais cette hypothèse semble peu fondée, parce qu'il n'y a pas d'autres passages de l'œuvre de Patrick où l'on puisse détecter de telles clausules.

8. C'est-à-dire : une connaissance passable du latin. BIELER prend le verbe *comparare* (*LEB* 2) au sens d'« apprendre », d'après l'italien *imparare*. Mais Blaise donne de bons exemples où ce terme signifie « se procurer », « obtenir ».

perlegeram. Sed quis me credit etsi dixero quod ante praefatus sum ?

Adolescens, immo paene puer inuerbis, capturam dedi,
8 antequam scirem quid adpeterem uel quid uitare debueram. Vnde ergo hodie erubesco et uehementer pertimeo denudare imperitiam meam, quia desertis breuitate sermone explicare nequeo, sicut enim spiritus gestit et
12 animus, et sensus monstrat adfectus.

11. Sed si itaque datum mihi fuisset sicut et ceteris, uerumtamen non silerem *propter retributionem,* et si forte
63 uidetur apud | aliquantos me in hoc praeponere cum
4 mea inscientia et *tardiori lingua,* sed etiam scriptum est enim : *Linguae balbutientes uelociter discent loqui pacem.*

Quanto magis nos adpetere debemus, qui sumus, inquit,
8 *epistola Christi in salutem usque ad ultimum terrae,* et si non deserta, sed † ratum et fortissimum † *scripta in*

DPVRFCG

5 legeram R ‖ credit Φ : credidit D ‖ quod : qui P ‖ 7 inuerbis DPΔ H-&-S Bieler : in uerbis V White   imberbis *corr.* Ware Stokes *v. notam* ‖ dedi : didici V ‖ 8 quid[1] + peterem uel quid D ‖ appeterem V ‖ inuitare R ‖ 10 quia + non possum (z *in mg.*) D ‖ desertis PCF Bieler : disertis GRV White[2]   de deeritis D   non deeritis *coni.* H-&-S   non disertus *coni.* Stokes   non desertus *coni.* White[1] ‖ breui R ‖ 11 sermone : sermonis VG[2]   sermonem *coni.* White ‖ gestit DV : gestat P   gessit Δ ‖ 12 animas D ‖ monstrare F ‖ adfectus : affectus FVΔ[2]   effectus R

11 4 lingua DG[2] : linguae Φ ‖ etiam *om.* D ‖ 5 enim *om.* DR ‖ 9 ratum (rata G raptum R) et fortissimum (fortissime G[2]) scripta Φ Stokes (et *secl.* Stokes) : ratum fortissimum scriptum (z *in mg.*) D H-&-S White[1]   ministrata fortissime *coni.* White[2]   ratum et fortissimum scriptum scripta *coni.* Mras   *glossam hic insertam coni.* Bieler   *forte leg.* rusticanter (*uel* rusticatione) *forte* scripta *v. notam*

11, 2 Ps. 118 (119), 112 ‖ 4 Ex. 4, 10 ‖ 5 Is. 32, 4 (Jérôme, *Comm. d'Isaïe.*) ‖ 8 II Cor. 3, 2-3. — Act. 13, 47 ‖ 9-10 II Cor. 3, 2-3

---

1. Nous pouvons adopter la leçon et l'interprétation de H-&-S

ment. Mais qui me croit, même si je répète ce que j'ai
déjà dit auparavant ?

Adolescent ou plutôt garçon bel et bien imberbe [1], je
fus fait prisonnier, avant de savoir ce que je devais
rechercher ou éviter [2]. C'est pourquoi je rougis aujour-
d'hui et j'ai grand-peur de mettre à nu mon incapacité,
car je ne suis pas capable d'exprimer avec concision
devant des hommes instruits [3] ce que mon esprit et mon
intelligence sont impatients de dire et ce que me fait voir
le sentiment de mon cœur [4].

11. Mais, si j'avais reçu les mêmes dons que les autres,
« par action de grâces » je ne me tairais certes pas et, si
par hasard il semble à certains que je me mets en avant
avec mon ignorance et ma langue traînante, il est pourtant aussi écrit : « Les langues balbutiantes apprendront
vite à dire la paix. »

Nous avons d'autant plus à le rechercher que nous
sommes, est-il dit, « une lettre du Christ destinée à
porter le salut jusqu'à l'extrémité de la terre » et, si
cette lettre n'est pas éloquente, du moins [5]... est-elle
« écrite dans vos cœurs [6] non avec de l'encre mais avec
l'Esprit du Dieu vivant ». L'Esprit atteste, d'autre part,

avec d'autant plus d'assurance que, jusqu'au vi[e] siècle, le latin
vulgaire confond fréquemment les lettres *b* et *v*. Bieler a adopté
la leçon *inuerbis* (*LEB* 2), mais au sens de « encore incapable de
parler » — bien que ce terme soit inconnu du reste de la littérature
latine et qu'il fasse dire à Patrick qu'un garçon de 16 ans est, à
peu de chose près, un enfant incapable de parler.

2. Dans « A Study of Patrick's Sources » (*Irish Ecclesiastical
Record*, 5th series, 72, 1949, p. 14-23), D. S. Nerney a tenté de
montrer ici un écho du xvie Concile antipélagien de Carthage en
418. Mais c'est peut-être une expression courante, commune aux
sources de l'un et de l'autre, car Patrick n'a pas pu s'inspirer de ce
Concile.

3. Ou : « en un langage savant ».

4. Notre traduction ne rend pas compte de la présence du mot
enim ; mais il peut n'être qu'une simple particule affirmative : voir
Excursus I, p. 157.

5. Texte gravement corrompu : l'apparat cite la recension du
LEB par K. Mras, dans *Anzeiger der Akademie der Wissenschaften*,
1953, p. 73.

6. Pour la leçon *cordibus uestris*, voir Bieler, *LEB* 1, p. 35.

Saint Patrick.   6

cordibus uestris non atramento sed spiritu Dei uiui. Et
iterum Spiritus testatur *et rusticationem ab Altissimo*
12 *creatam.*

   12. Vnde ego primus rusticus profuga indoctus scilicet, *qui nescio in posterum prouidere,* sed illud scio certissime quia utique *priusquam humiliarer* ego eram uelut
4 lapis qui iacet in luto profundo : et uenit *qui potens est*
64 et in sua misericordia sustulit me et quidem | scilicet
sursum adleuauit et collocauit me in summo pariete ;
et inde fortiter debueram exclamare ad retribuendum
8 quoque aliquid Domino pro tantis beneficiis eius hic et
in aeternum, quae mens hominum aestimare non potest.

   13. Vnde autem ammiramini itaque *magni et pusilli
qui timetis Deum* et uos domini cati rethorici audite ergo

DPVFRCG
10 uestris DV : nostris Φ   *v. notam* ‖ 11 rusticationem DP : rusticatio VRF   rusticitatio Δ² ‖ 12 creatam *coni.* Bieler : creata est Ω
   12, 1 ego : ergo PRFC ‖ 2 prouidere RF : puidere DPΔ²   pręui-
dere V ‖ 6 sursum : rursum P ‖ alleuauit R ‖ summo pariete : sua
parte D ‖ 7 retribuendum Pᵃᶜ Gᵖᶜ : -dam (Pᵖᶜ Gᵃᶜ) Ω ‖ 8 quoque
deest R
   13, 1 itaque *om.* D ‖ 1-2 qui timetis deum magni et pusilli ∼
Bieler   *v. notam* ‖ 2 et uos dominicati qui timetis deum ∼ D
(*cum signo incerto*) ‖ domini cati *coni.* White² : dominicati D H-&-S
White¹ Bieler   domni ignari FΔ²   domni gnari P   domini ignari
VR Stokes (*forte leg.* domini cata rhetoricen [χατὰ ῥητοριχήν]) *v.
notam* ‖ nethorici Δ² ‖ ergo Φ : *om.* DΨ edd.   *v. notam*

11-12 Sir. 7, 16 (15)
   12, 2 Eccl. 4, 13 ‖ 3 Ps. 118-(119), 67 ‖ 4 Lc 1, 49
   13, 1-2 Apoc. 19, 5 ‖ 4-5 Lc 24, 9

---

1. La Bible de Jérusalem traduit : « (Ne répugne pas...) au
travail des champs créé par le Très-Haut. » Mais Patrick prend ici
rusticatio au sens de *rusticitas.*
2. Ou : « et, plus que cela, il m'a hissé bien haut ».
3. Voir l'étude de cette citation par Bieler dans « *Libri Epistolarum Sancti Patricii Episcopi* », Addenda (*Analecta Hibernica* 23,
1966), p. 314.

que « même la vie des rustres a été créée par le Très-
Haut [1] ».

12. C'est pourquoi, moi qui étais d'abord un rustre
fugitif et sans instruction, moi « qui ne sais pas prévoir
l'avenir », je sais cependant une chose avec certitude,
c'est qu'« avant d'être humilié » j'étais comme une pierre
gisant dans une boue profonde ; mais il est venu, « celui
qui est puissant », et dans sa miséricorde il m'a pris, il
m'a hissé vraiment bien haut [2] et m'a placé au sommet
du mur ; c'est pourquoi je devrais élever la voix très fort,
afin de rendre aussi quelque chose au Seigneur pour ses
bienfaits ici-bas et dans l'éternité, bienfaits si grands
que l'esprit des hommes ne peut les évaluer.

13. Soyez donc dans l'admiration, « grands et petits
qui craignez Dieu [3] », et vous, seigneurs, rhéteurs subtils [4],

---

4. *Domini cati* (voir app.) : environ un siècle après Patrick, on
trouve dans les *Varia* de CASSIODORE (III, 25, 1) le nom *dominicatus* au sens de « état ou privilège de qui a le pouvoir ou le contrôle
sur », sans aucune allusion à des domaines ou à des églises (voir
O. J. ZIMMERMANN, *The Late Latin Vocabulary of the Varia of
Cassiodorus*, Hildesheim 1967, p. 4) et, chez SIDOINE APOLLINAIRE
(*Epistulae* III, 4, 1), *dominium* au sens de « propriété de » ou « sujé-
tion à », à propos d'un domaine. Quant à l'adjectif *dominicatus*, il
n'est pas attesté avant le haut Moyen Age et signifie « apparte-
nant à un domaine ». Bieler le prend au sens de « riche », « propriétaire d'un domaine » et le fait dériver de *dominicum*, « le domaine ».
Mais l'usage d'adjectifs en -*atus* par S. Benoît, qu'on pourrait
invoquer à l'appui, semble se limiter à des adjectifs verbaux tels
que *nominatus*, « célèbre », *mensuratus*, « calculé par mensuration »
(voir la préface de Christine MOHRMANN à l'édition de la *Regula
monachorum* de D. P. Schmitz, Maredsous 1955, p. 20). L'adjectif
dominicati pourrait alors provenir du verbe *dominor* et signifier
« propre à dominer » (ou « à être dominé ») ; ce n'est pas possible
ici. Christine MOHRMANN propose (*loc. cit.*) une autre interprétation :
dominicati proviendrait de *dominicum*, « bâtiment d'église », et
signifierait « hommes d'église » (*The Latin of St. Patrick*, Dublin
1961, p. 29-31). Cet emploi n'est pas plus attesté que le précédent
et comment admettre qu'un adjectif désignant des hommes appar-
tenant à l'Église « peuple de Dieu » ait été forgé à partir du nom
désignant une église « édifice consacré au culte » ? Nous avons
proposé (*POC*, p. 109-112) de lire ici « maîtres en fait de rhétorique »,
car on ne peut douter de l'emploi de *cata* en latin vulgaire à l'époque
de Patrick (voir V. VÄÄNÄNEN, *Introduction*, p. 134).

et scrutamini. Quis me stultum excitauit de medio eorum
4 qui uidentur esse sapientes et legis periti et *potentes in
sermone* et in omni re, et me quidem, detestabilis huius
mundi, prae ceteris inspirauit si talis essem — dummodo
autem — ut *cum metu et reuerentia* et sine querella fide-
8 liter prodessem genti ad quam caritas Christi transtulit
et donauit me in uita mea, si dignus fuero, denique ut
cum humilitate et ueraciter deseruirem illis.

14. In *mensura* itaque *fidei* Trinitatis oportet distinguere, sine reprehensione periculi notum facere donum
Dei et *consolationem aeternam*, sine timore fiducialiter
65 4 Dei nomen ubique expandere, ut etiam post | obitum
meum exagaellias relinquere fratribus et filiis meis quos
in Domino ego baptizaui tot milia hominum,

15. et non eram dignus neque talis ut hoc Dominus
seruulo suo concederet, post aerumnas et tantas moles,
post captiuitatem, post annos multos in gentem illam

DPVRFCG
4 sapientes esse ∼ PVFΔ² ‖ leges D ‖ 5 detestabilem Φ ‖ 8
prodessem *om.* D *forte recte* ‖ 9 et : ut (Gᵃᶜ) Δ ‖ dignus : uiuus
(dignus *in mg.*) D
14, 1 mensuram P ‖ trinitatis : dignitatis (-tes Pᵃᶜ) P ‖ 3 consula-
tionem D ‖ 5 exagaellias Ferguson Stokes White Bieler : exa-
gallias (z *et* incertus liber *in mg.*) D H-&-S exgallias VFC ex
gallicis Gᵖᶜ exgaleas P extra Gallias *coni.* Gilbert *v. notam*
15, 2 tantas moles D : ante moles P tante molis VΔ ‖

---

7 Hébr. 12, 28
14, 1 Cf. Rom. 12, 3 ‖ 3 II Thess. 2, 16

---

1. P. Grosjean a remarqué (*Bulletin du Cange* 25, 1955, p. 44)
que, si l'on supprime *ergo*, il faut également rejeter *itaque*.
2. Docteurs en droit romain.
3. Patrick met au défi certains experts en rhétorique, membres
du clergé de Bretagne (cf. 13, 3 : *de medio eorum*), et souligne que,
malgré sa déficience à cet égard, c'est lui que Dieu a choisi.
4. Bieler rapproche (*LEB* 2) de cette expression-ci celle de
Grégoire de Tours (*De gloria mart.*, 88, p. 547, 15), *omnium
hominum odibilem* ; mais on peut citer — plus proche dans le temps

écoutez donc [1] et fouillez attentivement. Qui m'a suscité,
moi l'insensé, du milieu de ceux qui passent pour sages,
docteurs de la loi [2], « puissants en paroles » et en toutes
choses [3] ? et qui m'a plus que d'autres inspiré, moi, le
rebut de ce monde [4], pour que, « dans la crainte et le
respect » et sans donner de sujet de plainte, si j'en suis
capable — et pourvu que je le sois —, je fasse loyalement
du bien au peuple vers lequel l'amour du Christ m'a
porté et à qui il m'a ensuite donné, pour que, si j'en suis
digne, je les serve toute ma vie avec humilité et vérité.

14. Aussi, « selon la mesure de ma foi » en la Trinité,
me convient-il de reconnaître [5] et, sans appréhender [6]
le danger, de proclamer le don de Dieu et sa « consola-
tion éternelle », de répandre sans crainte mais avec confiance le nom de Dieu en tout lieu, afin que, même après
ma mort, je laisse un héritage [7] à mes frères et à mes fils,
à tant de milliers d'hommes que j'ai baptisés dans le
Seigneur !

15. Et je n'étais ni digne ni tel qu'il l'aurait fallu
pour que le Seigneur fasse ce don à son petit esclave et
que, après tant d'épreuves et tant de peines, après la
captivité et après de nombreuses années, il m'accorde

— celle de Sidoine Apollinaire (*Ep.* IX, 9), *istius mundi pere-
grinus.*

5. F. R. Montgomery-Hitchcock (*St. Patrick and his Gallic
Friends*, Londres 1916, p. 131 ; « The Confessio and Epistula of
Patrick of Ireland and their Literary Affinities in Irenaeus, Cyprian
and Orientius », *Hermathena* XLVII, 1932, p. 205-206) et White
ont raison de traduire ici *distinguere* par « formuler une doctrine »
et Patrick veut peut-être dire : « ainsi je dois enseigner selon la
règle de foi en la Trinité ». On trouve, en effet, *mensura fidei* en ce
sens chez Victorinus de Pettau (*Comm. Apoc.* 11, 1). À l'époque
de Patrick cet usage aurait paru désuet, voire archaïque, dans le
reste de l'Église de langue latine.

6. *Reprehensione* est sans doute une erreur pour *apprehensione*,
« pensée » ou « souci ».

7. Nous adoptons la correction (voir app.) proposée par Sir
S. Ferguson (« On a Passage in the Confessio Patricii », *PRIA*,
2ᵈᵉ sér. II, 1879-1888, p. 1-3). Celle de J. T. S. Gilbert (*Facsimiles
of the National Manuscripts of Ireland*, Part II, Dublin 1878, Appen-
dice III H, p. 11) introduirait dans le texte une allusion à une visite
de Patrick en Gaule.

4 tantam gratiam mihi donaret ; quod ego aliquando in
iuuentute mea numquam speraui neque cogitaui.

16. Sed postquam Hiberione deueneram — cotidie
itaque pecora pascebam et frequens in die orabam —
magis ac magis accedebat amor Dei et timor ipsius et
4 fides augebatur et spiritus agebatur, ut in die una usque
ad centum orationes et in nocte prope similiter, ut etiam
in siluis et monte manebam, et ante lucem excitabar ad
orationem per niuem per gelu per pluuiam, et nihil mali
8 sentiebam neque ulla pigritia erat in me — sicut modo
uideo, quia tunc spiritus in me feruebat —

17. et ibi scilicet quadam nocte in somno audiui
uocem dicentem mihi : « Bene ieiunas cito iturus ad patriam tuam », et iterum post paululum tempus audiui
66 4 responsum dicentem mihi : | « Ecce nauis tua parata
est » — et non erat prope, sed forte habebat ducenta
milia passus et ibi numquam fueram nec ibi notum quem-
quam de hominibus habebam — et deinde postmodum
8 conuersus sum in fugam et intermisi hominem cum quo

DPVRFCG
5 numquam speraui D : non quia desperaui (disp. P) Φ

16, 1 Hiberione : Hiberionem R Hyberione V ‖ deueneram +
quod P ‖ 2 itaque D : igitur Φ ‖ 3 timor dei et timor illius Φ ‖
4 augebatur : agebatur P *om.* Ψ ‖ agebatur : augebatur PFΨ ‖
ut : et V ut et R *om.* P ‖ 6 monte D : in monte PV in mente
(monte *pc* RCG) Δ ‖ excitabar DV : exercitabar PΔ ‖ 7 male P ‖
8 sentiebam : sciebam P *om.* V

17, 3 et iterum : et terram et Φ ‖ 4 dicente R dicens G² ‖ 5 non
om. Φ ‖ 8 quo *om.* D

1. BIELER nous dit (*LEB* 2) que le verbe *deuenire* évoque parfois,
comme ici, l'idée de tomber dans le malheur.

2. En dehors de ce passage, Patrick emploie à cinq reprises dans
la *Confession* (21, 2 ; 29, 4 ; 32, 2 ; 35, 8 ; 42, 4) le mot *responsum*
pour une révélation accordée par Dieu à lui-même ou à quelque
autre. On sait que ce terme était utilisé au sens d'« oracle » dans
l'Ancien et dans le Nouveau Testament comme dans la littérature
païenne. Il n'y a donc aucun motif pour voir ici, à la suite de
White[1] et de Bieler, une citation de *Rom.* 11, 4 ou, à la suite de

une si grande grâce au milieu de ce peuple, une chose
que jadis, dans ma jeunesse, je n'avais jamais espérée
ni même imaginée.

II. Fuite d'Irlande en Bretagne

16. Mais, lorsque je fus arrivé [1] en Irlande — or je
faisais paître le bétail chaque jour et je priais souvent
dans la journée —, l'amour de Dieu et sa crainte m'en-
vahirent de plus en plus, ma foi grandit, mon esprit se
laissa conduire, de sorte que je faisais environ cent
prières en un seul jour et à peu près autant de nuit, que
je demeurais dans les forêts et sur la montagne, que je
me levais avant le jour pour prier, par la neige, le gel et
la pluie, que je ne ressentais aucun mal et qu'il n'y avait
aucune paresse en moi — comme je le vois maintenant,
car alors l'esprit était en moi plein d'ardeur.

17. Et là j'entendis une nuit, dans mon sommeil, une
voix qui me disait : Tu as bien fait de jeûner, tu vas
bientôt retourner dans ta patrie ; et, peu de temps après,
je perçus de nouveau une parole [2] qui me disait : Voici,
ton bateau est prêt — ce n'était pas dans le voisinage ;
au contraire, il pouvait y avoir une distance de deux
cent mille pas, je n'y avais jamais été et je n'y connais-
sais absolument personne [3] — ; peu après, je me déter-
minai à fuir [4], je quittai [5] l'homme auprès duquel j'étais

P. Courcelle (*Les Confessions de Saint Augustin dans la tradition
littéraire*, Paris 1963, p. 211-213), une influence des *Confessions* de
S. Augustin : voir *POC*, p. 128-129.

3. Ceci ferait penser que le lieu où Patrick devait trouver le
navire était habité : c'était probablement ce qui, dans l'Irlande
d'alors, ressemblait le plus à un port maritime.

4. Entendue en un langage correct, l'expression *conuersus sum
in fugam* signifierait « je fus mis en fuite ». Blaise cite, en effet,
conuertere in fugam = « mettre en fuite » (*Ps.* 89, 24 Vulg.), mais
aussi *conuertenti ex seruitio*, « sortant de l'esclavage » (Benoît,
Règle, 2).

5. D'après Blaise, Ambroise emploie *intermittere* au sens de
« négliger » (*Ep.*IV, 3 : *nos ne intermiseris*).

fueram sex annis et ueni in uirtute Dei, qui uiam meam
ad bonum dirigebat et nihil metuebam donec perueni
ad nauem illam,

18. et illa die qua perueni profecta est nauis de loco
suo, et locutus sum ut haberem unde nauigare cum illis
et gubernator displicuit illi et acriter cum indignatione
4 respondit : « Nequaquam tu nobiscum adpetes ire », et
cum haec audiissem separaui me ab illis ut uenirem ad
tegoriolum ubi hospitabam, et in itinere coepi orare et
antequam orationem consummarem audiui unum ex illis
8 et fortiter exclamabat post me : « Veni cito, quia uocant
te homines isti », et statim ad illos reuersus sum, | et coe-
perunt mihi dicere : « Veni, quia ex fide recipimus te ;
fac nobiscum amicitiam quo modo uolueris » — et in
12 illa die itaque reppuli sugere mammellas eorum propter timorem Dei, sed uerumtamen ab illis speraui uenire

67

DPVRFCG
9-10 et in uirtute dei ueni ad bonum qui uiam meam dirigebat ∼
V ‖ 10 et nihil : ex nihilo Δ² ‖ donec *om.* F
18, 1 illa die qua D : illa qua PΔ²   illa ad qua G²   illa R   mox
cum V ‖ 2 haberem Φ Carney Bieler : abirem D ‖ unde DG Carney
Bieler : inde PVRFC ‖ nauigare Φ Bieler : nauigarem D ‖ 3 gubernator PC (? G) : gubernatori DVFG²Ψ' ‖ illi *om.* VΨ'   *eras.* G ‖
acriter : hac artis P ‖ indignatione : interrogatione Dᵃᶜ   interro-
gationem R ‖ 4 adpetes D : adpetis P   adpetas (app. V) VΔ ‖ 5 ut :
ut et (et *superscript.* F) PFΔ²   et ut V (*forte* R) ‖ 6 tegoriolum D :
tuguriolum Φ Ψ' ‖ 8 exclamabat : exclamare VF   clamare R
exclamantem G²Ψ' ‖ 9 reuersurus R ‖ 12 reppuli sugere mammellas
eorum D : reppuli sugere mammas eorum V   reppulis fugire
mamas illorum RF   repuli fugere manus illorum P   repulsus sum
fugere amicitias illorum Δ² ‖ 13 ab illis speraui uenire D : speraui
ab illis ut mihi dicerent ueni Φ   ab illis separaui me magis speraui uenire *coni.* Bieler *scd.* Carney   *v. notam*

resté six ans, j'avançai par la force de Dieu, qui dirigeait
ma route vers le bien, et je n'eus rien à redouter jusqu'au
moment où je parvins à ce bateau.

18. Le jour même où j'y parvins, le bateau quitta son
point d'attache [1] et je leur parlai afin d'avoir la possibilité [2] de voyager avec eux ; le capitaine en fut fâché et
me répondit vivement et avec indignation : C'est en vain
que tu vas demander à venir avec nous ; à ces mots, je
m'éloignai d'eux afin de gagner une petite cabane où je
demeurais [3] ; en chemin, je me mis à prier et, avant
d'avoir terminé ma prière, j'entendis l'un d'eux qui
criait d'une voix forte derrière moi : Viens vite, ces
hommes t'appellent ; aussitôt je revins vers eux et ils
commencèrent à me dire : Viens, nous t'accueillons de
confiance ; lie amitié avec nous de la manière que tu
voudras — ce jour-là je refusai de leur sucer la poitrine [4],
par crainte de Dieu mais surtout parce que j'espérais
qu'ils m'accorderaient de venir [5] avec eux en prêtant
serment par Jésus-Christ, car c'étaient des païens — et,

---

1. C'est-à-dire ou « le navire fut amené de la plage jusqu'à la
rive et mis à flot » (BIELER, *LEB* 2) ou « le navire fut amené de la
rade et rangé le long du quai ».

2. Bieler traduit (*LEB* 2) : « je dis que j'avais les moyens »
(voir p. 158). Mais, dans ce cas, de quelles ressources Patrick dispo-
sait-il pour payer sa traversée ? Bieler se demande s'il fut autorisé
à monter à bord à condition de veiller sur les chiens (voir introd.
p. 35), T. O'RAIFEARTAIGH (« St. Patrick's Twenty-eight Days'
Journey », p. 409) s'il fut engagé comme interprète. Il est plus
vraisemblable qu'en six ans d'esclavage Patrick ait amassé ou
volé assez d'argent ou de richesses transportables pour payer sa
traversée et sans doute aussi son logement au *tegoriolum*.

3. D'après T. O'RAIFEARTAIGH (art. cité, p. 407), cela peut
signifier que quelqu'un hébergeait Patrick. S'il en est ainsi, la hutte
devait se trouver à une distance considérable du port, puisque
Patrick vient de dire que, le jour de son arrivée — au port, apparemment — le navire était prêt à appareiller. Peut-être, après avoir
passé la nuit dans une hutte à quelque distance, est-il parti le
matin de bonne heure en direction du port.

4. Voir introd., p. 34-35 et note 1.

5. Voir les corrections du texte d'après J. CARNEY (*The Problem of Saint Patrick*, p. 61) et BIELER (« Libri epistolarum sancti
Patricii episcopi : Addenda », *Analecta Hibernica* 23, 1966, p. 314).

in fidem Iesu Christi, quia gentes erant — et ob hoc
obtinui cum illis et protinus nauigauimus ;

19. et post triduum terram cepimus et uiginti octo
dies per desertum iter fecimus et cibus defuit illis et *fames
inualuit super eos*, et alio die coepit gubernator mihi dicere :

4 « Quid est, Christiane ? tu dicis deus tuus magnus et
omnipotens est ; quare ergo non potes pro nobis orare ?
quia nos a fame periclitamur ; difficile est enim ut ali-
quem hominem umquam uideamus. » Ego enim confi-

8 denter dixi illis : « *Conuertimini* ex fide *ex toto corde ad*
68　　*Dominum Deum* | *meum* quia nihil est impossibile illi,
ut hodie cibum mittat uobis in uiam uestram usque
dum satiamini quia ubique habundat illi », et adiuuante

12 Deo ita factum est : ecce grex porcorum in uia ante ocu-
los nostros apparuit, et multos ex illis interfecerunt et

DPVRFCG
14 fidem D : fide Φ ‖ ob *om.* Φ ‖ 15 obtinuit VR (t *in ras.*) F ‖
et — nauigauimus *om.* D

19, 1 uiginti et septem (et *om.* F) VΔ ‖ 2 et cibus : cibus autem
et potus V ‖ defuit : defecit V ‖ 4 est *om.* D ‖ 6 enim : uero V
enimuero P ‖ 7 confidenter Ψ' : euidenter Ω　*v. notam* ‖ 8 ex fide
om. V ‖ ex toto corde *om.* D ‖ quia — illi : cui nihil est impossibile
D ‖ 11 satiemini Φ　*v. notam* ‖ habundat PD : abundat FΔ² Ψ' ‖ 12
uia + ueniebat V ‖ 13 apparuit *om.* Φ

19, 2-3 Gen. 12, 10 ‖ 8-9 Joël 2, 12-13

1. J. RYAN traduit (« A Difficult Phrase in the Confession of
St. Patrick », *Irish Eccles. Record* 52, 1938, p. 293-299) *obtinui*
par « je restai ». Mais BIELER a montré (LEB 2) que Grégoire de
Tours fait de *obtinere cum aliquo* l'équivalent de *impetrare ab
aliquo* suivi d'un infinitif.
2. *Terram cepimus* signifierait, d'après O'RAIFEARTAIGH (art.
cité, p. 412-414), « nous avons manœuvré pour débarquer » ;
d'après ce qui arriva à la petite troupe après son débarquement,
il faut, en effet, admettre que le mauvais temps les obligea, quel
qu'ait été primitivement leur but ou leur destination, à toucher
terre dans une région qui leur était inconnue.
3. Il est pratiquement impossible qu'une petite troupe avan-

grâce à cela, j'eus gain de cause auprès d'eux [1] et nous
levâmes l'ancre aussitôt.

19. Ayant touché terre [2] au bout de trois jours, nous
marchâmes ensuite pendant vingt-huit jours [3] à travers
une contrée inhabitée ; la nourriture vint à leur manquer
et « la faim s'appesantit sur eux » ; un jour, le capitaine
se mit à me dire : Alors quoi, chrétien ? Tu dis que ton
Dieu est grand [4] et tout-puissant ; pourquoi donc ne
peux-tu pas prier pour nous ? car nous sommes en danger
de mourir de faim ; en effet, il y a peu de chances que
nous revoyions jamais un être humain. Alors, moi je leur
répondis avec assurance [5] : « Convertissez-vous » en
confiance [6] et « de tout votre cœur au Seigneur mon
Dieu » — car rien ne lui est impossible — pour qu'il
vous envoie aujourd'hui de la nourriture sur votre route
jusqu'à ce que vous soyez rassasiés [7], car il en a partout
en abondance ; et c'est ce qui arriva avec l'aide de Dieu :
voici qu'un troupeau de porcs [8] apparut sur le chemin
devant nos yeux ; ils en tuèrent beaucoup et restèrent

çant en ligne droite vers un but déterminé soit restée vingt-huit
jours dans une contrée inhabitée. Ils doivent avoir perdu leur
chemin et tourné en rond.

4. Littéralement : « Tu dis, ton Dieu est grand. »

5. Le plus souvent *euidenter* signifie « assurément », ce qui
n'aurait pas de sens ici ; dans notre contexte, il ne pourrait signifier que « clairement », « ouvertement », ce qui n'est guère attesté ;
ce qui s'en rapprocherait le plus est la traduction du grec παρρησία
par *euidenter* dans la version italique de *Jean* 16, 25. Exception-
nellement nous choisissons, à la suite de BIELER (*LEB* 1, p. 27),
la leçon de Ψ.

6. Pour la leçon *ex fide*, voir BIELER, *LEB* 1, p. 37.

7. La leçon de Φ (voir app.) se trouve également dans une *Vie*
de Patrick du VIIIe siècle (*Werinhardi codex, olim Tegernensis
nunc Monacensis*), dont la traduction a paru dans *PRIA* 32, 3,
1903, p. 216-218 : voir BIELER, *LEB* 1, p. 23 et 107.

8. BIELER prétend (*St. Patrick and the Coming of Christianity*,
p. 37) que *porcus* ne peut désigner qu'un animal domestique. Mais
l'auteur du *De mirabilibus sacrae scripturae* (I, 7, *PL* 35, 2158), un
ouvrage irlandais daté généralement du VIIe siècle, faisant observer que la venue des animaux sauvages en Irlande fut facilitée
du fait qu'un grand nombre d'îles étaient jadis rattachées au
continent, nomme expressément les *siluaticos porcos* parmi eux.

ibi duas noctes manserunt et bene refecti et carnes eorum
releuati sunt, quia multi ex illis defecerunt et secus uiam
16 *semiuiui relicti* sunt, et post hoc summas gratias ege-
runt Deo et ego honorificatus sum sub oculis eorum, et
ex hac die cibum habundanter habuerunt ; etiam mel
siluestre inuenerunt et *mihi partem obtulerunt* et unus ex
20 illis dixit : *Immolaticium est* ; Deo gratias, exinde nihil
gustaui.

    20. Eadem uero nocte eram dormiens et fortiter temp-
69 tauit me | Satanas, quod memor ero *quamdiu fuero in hoc
corpore*, et cecidit super me ueluti saxum ingens et nihil
4 membrorum meorum praeualens. Sed unde me uenit
ignarum in spiritu ut Heliam uocarem ? Et inter haec
uidi in caelum solem oriri et dum clamarem « Heliam,

DPVRFCG – DPRFCG
14 carnes (carne G²) PΔ² : canes DVRF edd.   *v. notam* ‖ 15 releuati P : repleti D edd.   reuelati VRF   et releuati *uel* repleti et
releuati *coni.* Bieler   *v. notam* ‖ defecerunt et *om.* D ‖ 16 derelicti Φ ‖
17-18 et² — habuerunt *om.* D ‖ 18 habundanter PDF : abundanter
RΔ² ‖ 20 immolatieium *Vit. Pat. II* Bieler : immolaticum D H-&-S
Stokes White   immolatum PV   immolatium FG²   immolatiuum
RC   *v. notam*
    20, 2 fuero : fueram (-ro G²) Δ ‖ 3 saxa ingentia Φ ‖ 3-40, 22
et² — uestri et filiae *folium excidit in* V *habebat autem hoc folium*
Papebroch (= v) ‖ 4 praeualens D : praeualui PΔ ‖ me : mihi G²
H-&-S Stokes White ‖ 5 ignarum PΔ : ignaro G² Stokes   ignoro
Ψ   *om.* D H-&-S White ‖ in : et RF ‖ spiritu PΔΨ Stokes : spiri-
tum D H-&-S White ‖ ut *om.* PΔ ‖ uocare G² ‖ 5 inter haec PΔΨ :
in hoc D ‖ 6 orire P ‖ 6-7 Heliam Heliam vΔ : Heliam DP H-&-S
Stokes White   Helia *Vita Pat. IV*   Helia Helia Bieler

16 Lc 10, 30 ‖19 Lc 24, 42 ‖ 20 I Cor. 10, 28
20, 2-3 II Pierre 1, 13

    1. Certains manuscrits, suivis par l'ensemble des éditeurs, lisent
ici *canes* au lieu de *carnes* (voir app. et introd., p. 35). En mettant
un point virgule après *refecti*, Bieler paraît toutefois admettre
(« Interpretationes Patricianae », *Irish Ecclesiastical Record*, 1967,
p. 5-7) que les corps gisant à demi morts sur le bord du chemin
étaient des corps d'hommes et non de chiens : il limite ainsi l'attention que Patrick aurait portée à des chiens.

deux jours en ce lieu à se restaurer et à se refaire grâce
à la viande [1] des porcs ; un grand nombre d'entre eux
étaient, en effet, tombés en défaillance et avaient été
« abandonnés à demi morts » au bord du chemin ; ils
rendirent ensuite hautement grâces à Dieu et je fus
honoré à leurs yeux ; à partir de ce moment-là ils eurent
de la nourriture en abondance ; ils trouvèrent même du
miel sauvage [2] et « m'en offrirent » ; mais l'un d'eux dit :
« On l'offre en sacrifice [3] » ; grâce à Dieu je n'y goûtai pas
du tout.

20. La même nuit [4], au cours de mon sommeil, Satan
suscita contre moi une violente tentation, dont je me
souviendrai « tant que je vivrai dans ce corps » : il tomba
sur moi comme un énorme rocher et tous mes membres
étaient réduits à l'impuissance [5]. Mais d'où vint à l'esprit
de l'ignorant que j'étais l'idée d'invoquer Élie ? Je vis à
ce moment-là le soleil se lever dans le ciel et, tandis que
j'appelais de toutes mes forces « Élie, Élie », voici que
l'éclat de ce soleil [6] tomba sur moi et dispersa aussitôt

2. Littéralement : « du miel des forêts » ; on peut penser que la
petite troupe voyageait à travers une forêt épaisse et qu'elle perdit
son chemin. A l'époque de Patrick, une grande partie de la Bretagne et de l'Irlande était couverte de forêts, qui ont disparu
depuis. Voir E. G. Bowen, *Saints, Seaways and Settlements*, p. 58,
173 et 221.

3. La leçon *immolaticium* est empruntée à une *Vie* de Patrick
assez tardive ; ce nom désigne, chez Blaise, « la chair des victimes
païennes » (d'après Augustin, Cassiodore, Cassien et Jérôme) et
l'adjectif *immolaticius* « immolé en sacrifice païen ». C'est probablement ici un adjectif qui qualifie *mel*.

4. La nuit de l'offrande du miel.

5. Littéralement : « aucun de mes membres capable de remuer » :
à cette construction très lâche, où le sujet du participe présent
diffère du sujet de la proposition précédente, Bieler propose
(*LEB* 2) plusieurs parallèles. Il est possible que ce soit une des
constructions que Patrick doit au celte.

6. Les contemporains de Patrick ont noté la ressemblance entre
Helias, le prophète, et *Helios*, le soleil. Patrick a plus ou moins
inconsciemment confondu les deux. A la question « pourquoi Élie ? »
il n'y a qu'une réponse : Patrick lui-même ignorait le « pourquoi »,
puisqu'il s'agit d'un rêve. Voir l'admirable note de Bieler (*LEB* 2)
sur Élie (= *Helia*) et, pour l'adoration du soleil parmi les anciens Irlandais, l'introduction p. 31-32.

Heliam » uiribus meis, ecce splendor solis illius decidit
8 super me et statim discussit a me omnem grauitudinem,
et credo quod a Christo Domino meo subuentus sum et
spiritus eius iam tunc clamabat pro me et spero quod sic
erit *in die pressurae* meae, sicut in euangelio inquit : *In*
12 *illa die*, Dominus testatur, *non uos estis qui loquimini*
sed spiritus Patris uestri qui loquitur in uobis.

21. Et iterum post annos multos adhuc capturam dedi.
70 Ea | nocte prima itaque mansi cum illis. Responsum
autem diuinum audiui dicentem mihi : « Duobus mensi-
4 bus eris cum illis. » Quod ita factum est : nocte illa sexagesima *liberauit me Dominus de manibus eorum.*

22. Etiam in itinere praeuidit nobis cibum et ignem et
siccitatem cotidie donec decimo die peruenimus homines.
Sicut superius insinuaui, uiginti et octo dies per deser-
4 tum iter fecimus et ea nocte qua peruenimus homines de
cibo uero nihil habuimus.

23. Et iterum post paucos annos in Brittanniis eram
cum parentibus meis, qui me ut filium susceperunt et ex

DPRFCG
7 decidit : cecidit Pv ‖ 9 subuentus *om.* D ‖ 10 clamabat D :
clamauit PΔ ‖ 11-21, 1 inquit — multos : inquit dominus non
uos estis multos (z *in mg.*) D
21, 3 dicentem : dicente F   dicens G² v   *om.* D ‖ mihi *om.* D ‖
duobus mensibus Ψ Bieler : duobus autem mensibus D   duos
menses PvFΔ² ‖ nocte illa sexagesima v (-ensima) D : nocte illa
sexagesimo die PFΔ² ‖ *scripsit* **22** *ante* **21** v
22, 1 etiam D : et ecce P   ecce Δ ‖ 2 decimo DΨ : xiiii P   quarto
decimo vΔ ‖ homines Pv : ad omines R   ad homines Δ²   omnes
DF   *v. notam* ‖ 3-4 sicut — homines *om.* F ‖ 3 dies per *om.* D ‖
4 homines P : ad homines Δ²   omnes DvR

11 Ps. 49 (50), 15 ‖ 11-13 Matth. 10, 19-20
21, 5 Gen. 37, 21

1. J. Carney, suivi par O'Raifeartaigh, comprend *pro me* au
sens de « à ma place ». Ils ont certainement raison.
2. Ce chapitre se rapporte tout entier à des événements beaucoup plus tardifs (voir introd., p. 46-47), alors que Patrick était,
depuis longtemps, évêque en Irlande. Ses ravisseurs étaient Irlan-

toute pesanteur loin de moi : je crois que j'ai été secouru
par le Christ, mon Seigneur, et que c'est son Esprit qui
criait alors pour moi [1] et j'espère qu'il en sera de même au
jour de mon angoisse, comme il est dit dans l'Évangile :
« En ce jour-là, le Seigneur l'atteste, ce n'est pas vous qui
parlez, mais l'Esprit de votre Père qui parle en vous. »

21. Et de nouveau, bien des années plus tard, je fus
emmené en captivité pour la seconde fois. La première
nuit, je demeurai donc avec eux. J'entendis une voix
divine qui me disait : Tu resteras deux mois avec eux.
Ce qui arriva : la soixantième nuit, « le Seigneur me déli-
vra de leurs mains [2] ».

22. De plus, au cours de notre marche, (Dieu) nous
pourvut chaque jour de nourriture, de combustible et
d'un temps sec, jusqu'au dixième jour [3], où nous par-
vînmes parmi des hommes [4]. Comme je l'ai suggéré plus
haut, nous avions marché vingt-huit jours à travers le
désert, et la nuit où nous rencontrâmes des hommes,
nous n'avions plus rien en fait de nourriture.

III. Autres manifestations de la Providence

23. Après quelques années [5], j'étais de nouveau en
Bretagne chez mes parents [6], qui m'accueillirent comme

dais. En *Conf.* 52, 3-6, il relate une expérience de captivité simi-
laire — mais non identique — et, en *Conf.* 55, 8-9, il déclare s'attendre à en refaire l'expérience ; cf. *Conf.* 37, 8-9 : *persecutiones
multas usque ad uincula.*
3. Probablement le dixième jour après la rencontre des porcs :
ils n'avaient pas trouvé de vivres pendant dix-huit jours, ils ren-
contrèrent alors les porcs et passèrent deux jours à se reposer et à
manger ; après quoi, ils marchèrent de nouveau pendant huit
jours avant de rencontrer une habitation humaine.
4. L'expression, qui revient à la ligne 4, est curieuse. Cf. p. 159
5. Il ne me paraît pas possible de prendre au sérieux la suggestion de D. POWELL (« The Textual Integrity of St. Patrick's Confession », *AB* 67, 1969, p. 387-409), selon qui (p. 398-399) ces *paucos
annos* se seraient passées à parcourir l'Irlande.
6. *Parentibus* désigne la parenté plus que les père et mère : ceux
de Patrick doivent être morts depuis longtemps.

fide rogauerunt me ut uel modo ego post tantas tribu-
4 lationes quas ego pertuli nusquam ab illis discederem,
et ibi scilicet *uidi in uisu noctis* uirum uenientem quasi
de Hiberione, cui nomen Victoricus, cum epistolis innu-
71   merabilibus, | et dedit mihi unam ex his et legi princi-
8 pium epistolae continentem « Vox Hiberionacum », et
cum recitabam principium epistolae putabam ipso
momento audire uocem ipsorum qui erant iuxta siluam
Vocluti quae est prope mare occidentale, et sic excla-
12 mauerunt *quasi ex uno ore* : « Rogamus te, sancte puer,
ut uenias et adhuc ambulas inter nos », et ualde *com-
punctus sum corde* et amplius non potui legere et sic
expertus sum. Deo gratias, quia post plurimos annos
16 praestitit illis Dominus secundum clamorem illorum.

DPRFCG
23, 3 ego D : me PFΔ² *om.* R ‖ 4 nusquam D : numquam
PvFΔ²Ψ° ‖ 5 uidi *transposuit l.* 7 *post* innumerabilibus D ‖ uisu
PΔ : sinu D ‖ nocte PΔ ‖ 6 cui nomen Victoricus D Bieler : Victo-
ricius nomen PΔ   Victricius nomine v   Victoricum (Victor *Vita
Pat. IV*) Ψ°   *v. intr.* p. 36 ‖ 7 et dedit : occidit P ‖ 8 Hiberionacum PΔ : Hyberionacum D   Hiberionum Ψ°   Hyberionarum
v ‖ 9 cum vΔ : dum D   tunc P ‖ 9-10 ipso momento vΔΨ° : ipso
momente P   ipse in mente D ‖ 10 audiui P ‖ ipsorum : illorum R ‖
11 Vocluti *coni.* Thurneysen O'Rahilly Bieler : Focluti Dv Fiacc
Muirchú *Vita Tripartita* uirgulti v   uirgulti uelutique PΔ² uirgulti ueluti R   uirgultique F   uliti MacNeill (*sec.* Muirchú :
regio Ulothorum)   *v. notam* ‖ occidentale Dv : occidentem PΔ ‖
12 quasi — ore *om.* D ‖ sancte Dv *Vita III* : sanctum PΔ   *secl.*
Bieler   *del.* Macalister O'Raifeartaigh   *v. notam* ‖ puer   Dv
Vita III Bieler : puerum PΔ   *del.* Macalister O'Raifeartaigh   *v.*
notam ‖ 13 ambulas D H-&-S White Bieler Grosjean : ambules
PΔΨ° Stokes ‖ 15 expertus D : expergefactus PΔ ‖ 16 illorum :
eorum PΔ

23, 5 Dan. 7, 13 ‖ 12 Dan. 3, 51 ‖ 13-14 Act. 2, 37

---

1. C'est-à-dire : « Je commençais à lire... je commençais à croire... »
2. Nous adoptons la leçon proposée par R. Thurneysen dans
son article « Silva Focluti » de la *Zeitschrift für Celtische Philologie*,
XIX, 1931, p. 191-192. Pour l'identification de cette forêt près de

un fils et me conjurèrent de ne pas les quitter pour aller ailleurs, désormais du moins, après tant d'épreuves que j'avais endurées ; et c'est là que « je vis, dans une vision nocturne », un homme du nom de Victoricus, qui paraissait venir d'Irlande avec d'innombrables lettres ; il m'en donna une et je lus le début de cette lettre où il était écrit : « Appel des Irlandais » ; et, tandis que je lisais le début de la lettre, je croyais [1] entendre au même instant l'appel de ceux qui demeuraient à côté de la forêt de Voclute [2], qui est près de la mer Occidentale, et voici ce qu'ils criaient « comme d'une seule bouche » : Saint garçon [3], nous te prions de venir encore [4] marcher parmi nous ; « je fus » profondément « ému dans mon cœur » et ne pus continuer ma lecture ; et c'est ainsi que je m'éveillai. Grâces soient rendues à Dieu car au bout de nombreuses années le Seigneur exauça leur cri.

Tirawley et pour les références des autres auteurs mentionnés dans l'apparat, voir introd., p. 32-33.

3. R. A. S. MACALISTER (« Silva Focluti », *Journal of the Royal Society of the Antiquaries of Ireland* 62, 1932, p. 25-26) considère *sancte puer* comme la corruption d'une ancienne glose *sancte p̄tr* (= *Patrici*) : Patrick n'était pas un *puer* à ce moment-là et son humilité ne lui aurait jamais permis de se dire *sanctus*. O'RAIFEARTAIGH (« The Life of St. Patrick, a new Approach », *Irish Historical Studies* 62, 1968, p. 123) se rallie à cette opinion et, de même, Bieler : d'un examen des traditions tardives sur Patrick, celui-ci conclut (*LEB* 2) que l'introduction de *sancte* est la première trace du processus qui fit de la « voix des Irlandais » une acclamation liturgique. Mais, parmi les neuf emplois que Patrick fait du mot *sanctus* — une fois mis à part les cas où il se rapporte au Saint-Esprit ou aux anges —, il signifie deux fois « vénérable », « respectable » (*Ep.* 3, 4 ; 14, 2) et s'applique à trois reprises à tout chrétien (*Ep.* 2, 3 ; 7, 1 ; 13, 1 ; cf. p. 169). Il n'y a qu'un seul cas (*Conf.* 43, 4 ; cf. p. 167), où il pourrait impliquer une sainteté particulière — peut-être celle de moines ; encore n'est-ce pas sûr. *Sancte puer* peut signifier simplement que Patrick était chrétien. Rien n'empêche cependant que les gens parmi lesquels il passa le temps de sa captivité aient eu l'habitude de l'appeler « saint garçon » à cause de sa piété. Il est, d'autre part, absurde de dire que Patrick n'était pas un *puer*. Il nous dit lui-même (*Conf.* 10, 7 ; voir note) que, lors de son premier enlèvement, il était *puer paene inuerbis* et il ne faut pas s'attendre à trouver de la logique dans un rêve.

4. Ou « une seconde fois ».

24. et alia nocte — *nescio, Deus scit,* utrum in me an iuxta me — uerbis peritissime, quos ego audiui et non potui intellegere, nisi ad postremum orationis sic effitiatus est : « *Qui dedit animam suam pro te,* | ipse est qui loquitur in te », et sic expertus sum gaudibundus.

25. Et iterum uidi in me ipsum orantem et eram quasi intra corpus meum et audiui super me, hoc est super interiorem hominem, et ibi fortiter orabat gemitibus, et inter haec stupebam et ammirabam et cogitabam quis esset qui in me orabat, sed ad postremum orationis sic effitiatus est ut sit Spiritus, et sic expertus sum et recordatus sum apostolo dicente : *Spiritus adiuuat infirmitates orationis nostrae : nam quod oremus sicut oportet nescimus : sed ipse Spiritus postulat pro nobis gemitibus inenarrabilibus, quae uerbis exprimi non possunt* ; et iterum : *Dominus aduocatus noster postulat pro nobis.*

26. Et quando temptatus sum ab aliquantis senioribus meis, qui uenerunt, et peccata mea, contra laboriosum episcopatum meum, | utique illo die fortiter

---

DPRFCG – PRFCG

24, 2 peritissime D (z *in mg.*) : peritissimi P   peritissimus Δ² perterritus R   apertissime *coni.* Bieler   peritissimis < audiebam quosdam ex spiritu psallentes intra me et nesciebam qui essent > v   *v. notam* ‖ ego *om.* v ‖ 3 postremum PΔ : posterum D ‖ effitiatus P : efficiatus D H-&-S White² affatus vΔ effatus *coni.* Stokes White¹ ‖ 4 dedit animam suam pro te D : dedit pro te animam suam Pv   pro te animam suam RF   pro te animam suam posuit Δ²   *v. notam* ‖ 4-5 ipse — te *om.* PΔ ‖ 5 expertus D : expergefactus PΔ

25, 2 super me *om.* D ‖ 4 admirabar PΔ ‖ 5 in me orabat D : oret in me PΔ ‖ 6 effitiatus P : efficiatus D   effatus Δ²   effactus F effectus R ‖ spiritus PG *scd. Rom. 8, 26* : episcopus DRFC (e̅p̅s̅ *ex* s̅p̅s̅) G² ‖ expertus : exceptus P ‖ et² + sic P ‖ 7 infirmitatem PΔ ‖ 8 orationis nostrae Dv : nostre orationis Δ   nostram orationis P ‖ nam quod D : nam quid PRG^pc   numquid FCG^ac ‖ 10 possunt D : potest PΔ   possum v

26, 1 - **29,** 2 et quando — ad noctem illam *deest* D (*in mg. manus recentior* : multa desunt) ‖ 3 episcopato meo P

24. Et, une autre nuit — « je ne sais, Dieu le sait », si c'est en moi ou hors de moi —, des paroles (furent prononcées [1]) avec beaucoup d'éloquence, paroles que j'entendis mais ne pus comprendre, si ce n'est à la fin du discours, où il fut dit : « Celui qui a donné sa vie pour toi [2] », c'est lui qui parle en toi ; et ainsi je m'éveillai plein de joie.

25. Et, une autre fois, je le vis qui priait en moi ; j'étais comme à l'intérieur de mon corps et je l'entendis au-dessus de moi, c'est-à-dire au-dessus de l'homme intérieur, et là il priait à haute voix avec gémissements ; pendant ce temps, j'étais dans la stupeur et l'étonnement et me demandais quel était celui qui priait en moi, mais à la fin de la prière il déclara qu'il était l'Esprit ; ainsi je m'éveillai et je me souvins des paroles de l'Apôtre : « L'Esprit subvient à la faiblesse de notre prière ; car nous ne savons pas ce qu'il convient de demander dans la prière, mais l'Esprit lui-même demande à notre place avec des gémissements indicibles ce qui ne peut s'exprimer à l'aide de mots » ; et encore : « Le Seigneur, notre défenseur, demande à notre place. »

26. Lorsque je fus mis à l'épreuve par quelques-uns de mes seigneurs, qui vinrent (rappeler le souvenir de) mes péchés à l'encontre d'un épiscopat que j'exerçais

---

24, 1 II Cor. 12, 2-3 ‖ 4 I Jn 3, 16
25, 7-10 Rom. 8, 26 ‖ 11 I Jn 2, 1

---

1. L'éditeur bollandiste a emprunté la proposition entre crochets dans l'apparat à un fragment de lettre attribué à Patrick par la tradition tardive, ce qui lui permet de résoudre d'une manière ingénieuse la difficulté due à l'absence de verbe principal. Mais cette hypothèse serait en contradiction avec l'affirmation de Patrick qui suit immédiatement et d'après laquelle il ne savait pas si cette voix retentissait en lui ou à côté de lui. Voir BIELER, *LEB* 1, p. 24. La présence d'une grave corruption dans notre texte paraît probable quoiqu'il ne soit pas impossible que Patrick ait laissé le texte tel qu'il est actuellement.

2. Pour les variantes du texte, voir BIELER, *LEB* 1, p. 38.

4 *impulsus sum ut caderem* hic et in aeternum ; sed Dominus pepercit proselito et peregrino propter nomen suum
benigne et ualde mihi subuenit in hac conculcatione.
Quod in labe et in obprobrium non male deueni ! Deum
8 oro ut *non illis in peccatum reputetur.*

27. *Occasionem* post annos triginta *inuenerunt me
aduersus* uerbum quod confessus fueram antequod essem
diaconus. Propter anxietatem maesto animo insinuaui
4 amicissimo meo quae in pueritia mea una die gesseram,
immo in una hora, quia necdum praeualebam. *Nescio,
Deus scit,* si habebam tunc annos quindecim, et Deum
uiuum non credebam, neque ex infantia mea, sed in
8 morte et in incredulitate mansi donec castigatus sum *et
in ueritate humiliatus sum a fame et nuditate,* et cotidie.

28. Contra, Hiberione non sponte pergebam, donec
prope deficiebam, sed hoc potius bene mihi fuit, qui ex

PRFCG – PFCG
4 et *om.* P ‖ in aeternum : internum R ‖ 7 labe PRC : labe^{ξ}F
labem Cv ‖ 8 deputetur R
27, 1 occasionem *coni.* White Bieler : occasionum PΔ   occasio
(*punctum*) nam v H-&-S Stokes ‖ annos + uero R ‖ me + et D ‖
2 ante quod PC : antequam vRFGᵖᶜ ‖ 4 meo *desinit* R ‖ 6 habeam
Δ² ‖ annis (-os *ex* -is G) FΔ² ‖ 8 in incredulitate : in crudelitate F
28, 1-2 donec — deficiebam *om.* P ‖ 2 qui : quia Δv

26, 4 Ps. 117 (118), 13 ‖ 5 Cf. Ps. 38 (39), 13 ‖ 8 Deut. 24, 15. Cf. II
Tim. 4, 16
27, 1-2 Dan. 6, 5 ‖ 5-6 II Cor. 12, 2-3 ‖ 8-9 Ps. 118 (119), 75 ‖
9 II Cor. 11, 27

1. Bieler traduit (*LEB* 2) : « ils vinrent — et mes péchés
vinrent — à l'encontre de l'épiscopat laborieux < qui m'était
proposé >. » Mais comment imaginer que *contra laboriosum epis-
copatum meum* puisse jamais avoir le sens de « à l'encontre de l'épiscopat < qui m'était proposé sans être encore certain et qui se
révéla plus tard > laborieux » ? Voir introd., p. 43-44.
2. Bieler a compris (*ACW* 17, *ad loc.*) « ce n'est pas à moitié —
non male étant pris comme une litote du style familier — que je
tombai dans l'opprobre et le mépris ! » Mais Patrick vient de dire
que, malgré la violence de la tentation, il ne tomba pas. Mais de

avec peine [1], en ce jour-là, « je fus violemment ébranlé et près de tomber » ici-bas et dans l'éternité ; mais le Seigneur épargna avec bonté celui qui s'était fait étranger et voyageur pour son nom, il me secourut puissamment en cette ignominie. Que je ne sois pas tombé pour ma perte dans la ruine et dans la honte [2] ! Je prie Dieu « de ne pas leur imputer cela comme un péché ».

27. « Ils trouvèrent contre moi [3] un prétexte » vieux de trente ans, un aveu que j'avais fait avant d'être diacre [4]. L'âme abattue par l'inquiétude, j'avais confié à un ami intime une action accomplie lorsque j'étais enfant, accomplie un seul jour, et même une seule heure, parce que je n'étais pas encore robuste [5]. « Je ne sais pas, Dieu le sait », si j'avais alors quinze ans, je n'avais pas foi au Dieu vivant, je n'y avais pas cru depuis mon enfance — mais je demeurais dans la mort et l'incrédulité jusqu'à ce que je fusse châtié et « véritablement humilié par la faim et la nudité », et cela chaque jour.

28. D'autre part, je n'avais pas gagné l'Irlande de mon plein gré avant le moment où je tombai presque en défaillance [6] ; ce me fut cependant plutôt un bien, car

quelle tentation Patrick parle-t-il ici ? Ce ne pouvait être le danger d'être démasqué et disgracié ; comment, en effet, appeler cela une tentation ? Peut-être était-il tenté d'agir avec violence contrairement aux règles du savoir-vivre et de se discréditer ainsi à ses propres yeux ?

3. *Me aduersus* est une inversion dont BIELER fournit (*LEB* 2) de bons exemples.

4. D'après le Canon 30 du *Concile d'Elvire*, des sanctions pouvaient être prises contre des clercs pour des péchés graves commis avant leur ordination.

5. Pour l'emploi de *praeualere*, cf. BENOÎT, *Règle* 2, 26, où, à propos des péchés des moines, il est dit de l'abbé : *mox ut coeperint oriri, radicitus ea, ut praeualet* (« autant qu'il le peut »), *amputet*.

6. C'est la suite de l'argumentation de Patrick au chapitre 27. Faisant allusion à son premier séjour en Irlande, il explique que le péché qui lui fut reproché avait été commis avant que le malheur vînt opérer une transformation de son caractère. Le seul obstacle à cette interprétation est la présence du mot *contra* : toutes nos difficultés tomberaient si nous pouvions prendre *contra Hiberione* au sens de « < ce fut involontairement que je fis > la traversée vers l'Irlande ». Mais il paraît plus normal d'interpréter : « Loin

hoc emendatus sum a Domino, et aptauit me ut hodie
4 essem quod aliquando longe a me erat, ut ego curam
haberem aut satagerem pro salute aliorum, quando
autem tunc etiam de me ipso non cogitabam.

74 | **29.** Igitur in illo die quo reprobatus sum a memo-
ratis supradictis ad noctem illam *uidi in uisu noctis*
scriptum erat contra faciem meam sine honore, et inter
4 haec audiui responsum diuinum dicentem mihi : Male
uidimus faciem designati, nudato nomine, nec sic prae-
dixit : Male uidisti, sed : Male uidimus, quasi sibi se iunxis-
set, sicut dixit : *Qui uos tangit quasi qui tangit pupillam*
8 *oculi mei.*

30. Idcirco *gratias ago ei qui me* in omnibus *confor-*
tauit, ut non me impediret a profectione quam statueram

PFCG – DPFCG
4 curas vFΔ^2
29, 2 uidi *resumit* D ‖ 4 diuinum *om.* D ‖ dicens vG^2 ‖ 5 designati Dv : dei signati PFΔ^2 Bieler   dei designati Carney Powell
v. notam ‖ 6 sibi D : ibi PFΔ^2 si ibi *coni.* Bieler   *v. notam* ‖ 7 quasi
om. v ‖ qui^2 *om.* Pv
30, 2 impediret DPv : impe$\frac{?}{}$diret G   impenderet FC

29, 2 Dan. 7, 13 ‖ 7-8 Zach. 2, 8 (12)
30, 1-2 I Tim. 1, 12

de comprendre que ma captivité était une bénédiction déguisée,
je partis contre mon gré pour l'Irlande ; à la vérité, je fus près de
mourir (de détresse). » L'interprétation de L. BIELER (*LEB* 2) et
de A. MARSH (*St. Patrick and his Writings,* Dundalk 1966, *ad loc.*),
qui admettent que Patrick parle ici du voyage qu'il fit, une fois
évêque, vers l'Irlande, est invraisemblable, car ailleurs (chap. 2 et
44) Patrick attribue l'amélioration de son caractère à son esclavage en Irlande et il serait absurde qu'il prétende ici ne pas s'être
rendu volontairement en Irlande comme évêque, alors qu'il décrira
plus loin (chap. 37 et 46) la manière dont il vint à bout de l'opposition de certains de ses amis.
    1. La présence du verbe *reprobari* fait dire à O'RAIFEARTAIGH
(article de *Seanchas Ardmacha*) que, à la suite de l'attaque lancée
contre Patrick, qui assumait alors la charge d'évêque, une assem-
blée ecclésiastique prononça un verdict contre lui.

le Seigneur me corrigea par là et me rendit capable d'être aujourd'hui ce dont j'étais jadis très éloigné, capable d'avoir le souci du salut d'autrui et de me dépenser pour lui, tandis qu'alors je ne songeais même pas à moi-même.

29. Donc, le jour même où je fus rejeté [1] par les hommes que j'ai évoqués et mentionnés plus haut [2], « je vis » la nuit suivante, « dans une vision nocturne », un texte déshonorant placé en face de mon visage et j'entendis alors une voix divine qui me disait : Pour notre malheur, nous avons vu le visage de celui qui est montré du doigt [3], le nom dévoilé ; or, elle ne proclama pas : « Pour ton malheur, tu as vu », mais « Pour notre malheur, nous avons vu », comme s'il s'était uni à moi [4], ainsi qu'il le dit : « Si quelqu'un vous touche, c'est comme s'il touchait à la prunelle de mon œil. »

30. C'est pourquoi « je rends grâces à celui qui m'a fortifié » en toutes choses, car il n'a contrecarré ni le départ que j'avais décidé, ni l'œuvre que j'avais apprise du

2. Contrairement à l'opinion de certains, *memoratis supradictis* n'a pas de résonance juridique. VINCENT DE LÉRINS utilise, en effet, l'expression *de supra memoratis haeresibus* (*Common.* XVI, 22) et EUGIPPE le mot *memoratus* (*Vita S. Severini* 13, 2 (15) ; 24, 3 (20) ; 25, 1 (20), au sens de « mentionné récemment ».

3. Autrement dit, de Patrick, en face de qui se trouvait le texte déshonorant : le *responsum* affirme le déplaisir divin devant le discrédit jeté sur Patrick. D'autres ont voulu rapporter *designatus* au faux ami : D. S. NERNEY a cru (« A Study of Patrick's Sources », *Irish Ecclesiastical Record*, 1949, p. 503-504) que *Designatus* était le nom de l'ami et que *nudato nomine* manifestait que Patrick venait de révéler ce nom ; au chapitre 33, Patrick aurait trouvé nécessaire d'expliquer pourquoi il l'a révélé (voir GROSJEAN, *AB* 75, 1957, p. 163 s.), alors qu'il reparlera deux fois de lui (chap. 32 et 33) sans prononcer son nom. Quant aux hypothèses de CARNEY (*Problem of Patrick*, p. 109), de D. POWELL (« The Textual Integrity of St. Patrick's Confession », *AB* 87, 1969, p. 396-397) et de BIELER (Libri epistolarum Sancti Patricii episcopi, Addenda », dans *Analecta Hibernica* 23, 1966, p. 314), qui feraient du faux ami un « élu de Dieu », elles sont en contradiction avec le contexte.

4. Nous suivons l'hypothèse d'O'RAIFEARTAIGH (article de *Seanchas Ardmacha*) qui interprète : « comme s'il (Dieu) s'unissait à lui (Patrick) », traduction qui paraît confirmée par la citation de *Zacharie* sur la prunelle de l'œil de Dieu.

et de mea quoque opera quod a Christo Domino meo didi-
4 ceram, sed magis ex eo *sensi in me uirtutem* non paruam
et fides mea probata est coram Deo et hominibus.

31. Vnde autem *audenter dico* non me reprehendit
conscientia mea hic et in futurum : *teste Deo* habeo *quia
non sum mentitus* in sermonibus quos ego retuli uobis.

75 | **32.** Sed magis doleo pro amicissimo meo cur hoc
meruimus audire tale responsum. Cui ego credidi etiam
animam ! Et comperi ab aliquantis fratribus ante defen-
4 sionem illam (quod ego non interfui nec in Brittanniis
eram, nec a me oriebatur) ut et ille in mea absentia
pulsaret pro me ; etiam mihi ipse ore suo dixerat : « Ecce
dandus es tu ad gradum episcopatus », quod ego non
8 eram dignus. Sed unde uenit illi postmodum ut coram
cunctis, bonis et malis, et me publice dehonestaret quod

DPFCG – PFCG
3 domino *om.* PFΔ² ‖ dedieram D ‖ 4 in me *om.* D
31, 2 conscientia mea : conscientiam P ‖ teste deo D : testem
deo P   testem deum vFΔ² ‖ abeo D ‖ 3 uobis *om.* PFΔ²
32, 32-34 *deest* D   (*in mg. manus recentior* desunt plurima) ‖ 1
deleo F ‖ 2 talem P ‖ ego : ergo C ‖ 3 defensionem : dissensionem
P ‖ 5 oriebatur *coni.* Bury *edidit* Bieler : orietur PFΔ² H-&-S
Stokes White O'Raifeartaigh   oriretur *coni.* Bieler   *v. notam* ‖
6 pulsaret : pulsetur v ‖ 7 dandus : datus F

___

4 Lc 8, 46. Cf. Mc 5, 30
31, 1 Act. 2, 29 ‖ 2 Cf. II Cor. 1, 23 ‖ 2-3 Gal. 1, 20

___

1. Ce passage a certainement suscité la mention d'une *probatio
Patricii* dans les *Annales Irlandaises* ; voir *POC*, p. 99-102.
2. Patrick était-il absent lors de l'attaque ou lors des plaidoyers
de son ami en sa faveur ? Ou devons-nous distinguer trois moments,
l'attaque, les plaidoyers de son ami et les débats autour de son
élévation à l'épiscopat ? De toute façon il est inutile que Patrick
dise qu'il était absent lors de l'attaque, puisqu'il l'a déjà clairement
fait entendre en racontant, au chapitre 26, que quelques-uns des
seniores vinrent rappeler le souvenir de son ancien péché. Mieux
vaut donc prendre le *quod* comme une parenthèse, venue à l'esprit
de Patrick pendant qu'il était en train de relater les plaidoiries de
son ami en sa faveur. Bien avant que Dieu le justifiât des accusations traîtresses de son faux ami, Patrick avait entendu dire que,

Christ mon Seigneur ; mais, à partir de ce moment-là,
« je sentis » davantage « en moi une force » non médiocre
et ma foi fut éprouvée [1] devant Dieu et devant les
hommes.

31. C'est pourquoi, « je le dis hardiment », ma conscience ne me reproche rien ni pour maintenant ni pour
l'avenir : « Dieu m'est témoin que je n'ai pas menti »
dans les paroles que je vous ai rapportées.

32. Mais je suis d'autant plus en peine pour mon ami
intime de ce que nous ayons eu à entendre semblable parole. Lui, à qui j'avais même confié mon âme ! Et, avant
cette occasion où j'eus à me défendre, j'avais été informé
par quelques frères—je n'étais pas présent [2], car je n'étais
pas en Bretagne et ce n'est pas moi qui l'ai provoqué —
qu'en mon absence il plaiderait [3] pour moi ; et lui-même
m'avait aussi dit de sa propre bouche : « Voici que tu
dois être élevé à la dignité épiscopale », cette dignité
dont je n'étais pas digne. Mais d'où lui vint ensuite l'idée
de me déshonorer publiquement devant tous, bons et

pendant son absence de Bretagne, un ami était intervenu pour lui ;
par la suite, cet ami l'avait même félicité de sa prochaine élévation à
l'épiscopat. Cette question a été discutée tout récemment par
BIELER dans *St. Patrick and the Coming of Christianity* p. 38-39,
par O'RAIFEARTAIGH, dans son article « Note on *nec a me orietur* :
Patrick, *Confessio* 32 » (*Journal of the Royal Society of Antiquaries
of Ireland* 95, 1965, p. 189-192) et par J. CARNEY dans *The Problem
of St. Patrick* (p. 86 s.). Elle l'avait déjà été par Gwynn, O'Rahilly,
Bury et bien d'autres. Un résumé des débats se trouve dans BIN-
CHY, *PB*, p. 90-95.

3. Aux ive, v[e] et vi[e] siècles, *pulsare* n'implique normalement
pas d'attaque concrète et peut avoir trois principaux sens : 1.
« frapper à la porte », « approcher » (SIDOINE APOLLINAIRE, *Ep.*
V, 9, 4 ; CASSIEN, *Institutions*, XII, 14, 2 ; *Conf.* X, 9 ; BENOÎT,
Règle, 66, 3) ; 2. « attaquer spirituellement ou verbalement » (CAS-
SIEN, *Instit.* X, 23 ; XI, 2 ; XII, 24 ; *Conf.* XXI, 10 ; XXII, 13.17 ;
PRISCILLIEN, *Apol.* I, 1 (3) ; 3. « demander », « chercher » ou « inter-
oger » (CASSIEN, *Instit.*, XII, 14, 2 : *aperire pulsantibus* ; VINCENT
DE LÉRINS, *Common.* XXVI (37), 110 : *nec quaerant nec pulsent* ;
BENOÎT, *Règle*, 58, 3). Il va de soi que c'est le troisième de ces sens
qui est ici le bon : l'ami de Patrick interrogeait, cherchait, solli-
citait et surtout il suscitait de l'agitation. L'emploi de l'imparfait
a ici toute sa force : « J'ai entendu dire que, pendant mon absence,
il se livrait à des plaidoyers en ma faveur. »

ante sponte et laetus indulserat, et Dominus, qui *maior omnibus* est ?

33. Satis dico. Sed tamen non debeo abscondere donum Dei quod largitus est nobis *in terra captiuitatis meae,* quia tunc fortiter inquisiui eum et ibi inueni illum
4 et seruauit me ab omnibus iniquitatibus (sic credo) *propter inhabitantem Spiritum* eius, qui *operatus est* usque in hanc diem in me. *Audenter* rursus. Sed scit Deus, si mihi homo hoc effatus fuisset, forsitan tacuissem
8 propter caritatem Christi.

34. Vnde ergo indefessam gratiam ago Deo meo, qui me fidelem seruauit *in die temptationis* meae, ita ut hodie confidenter offeram illi sacrificium ut *hostiam uiuentem*
76 4 animam meam Christo Domino meo, | qui me *seruauit ab omnibus angustiis meis,* ut et dicam : *Quis ego sum, Domine,* uel quae est uocatio mea, qui mihi tanta diuinitate cooperasti, ita ut hodie in gentibus constanter exaltarem
8 et magnificarem nomen tuum ubicumque loco fuero, nec non in secundis sed etiam in pressuris ut quicquid mihi euenerit siue bonum siue malum aequaliter debeo

---

PFCG
33, 1 non *om.* F ‖ 4 sic credo *om.* v

34, 6-7 tanta diuinitate PFG White[2] Bieler : tantam diuinita-tem vC H-&-S Stokes White[1] Grosjean ‖ 7 cooperasti P White[2] Bieler (*obelis includens*) : cooperuisti FΔ[2] Stokes denudasti v H-&-S aperuisti White[1] comparasti Grosjean comparuisti *coni.* Bieler ‖ in *om.* vF ‖ gentibus constanter *om.* v ‖ exaltarem v : exultarem PFΔ[2] ‖ 8 loco *eras.* G

32, 10-11 Jn 10, 29
33, 2-3 II Chr. 6, 37, etc. ‖ 5 Rom. 8, 11. — I Cor. 12, 11 ‖ 6 Act. 2, 29
34, 2 Ps. 94 (95), 9 ‖ 3 Rom. 12, 1 ‖ 4-5 Ps. 33, 7 (V. L.) ‖ 5-6 II Rois 7, 18

---

1. Dans son essai de *Seanchas Ardmacha* (1962), O'Raifeartaigh souligne que, chez Patrick, *indulgere* signifie le plus souvent « accor-

méchants, pour ce qu'auparavant il avait accordé [1] de lui-même et avec joie et (qu'avait aussi accordé) le Seigneur qui est « plus grand que tous » ?

33. J'en ai assez dit. Cependant je ne dois pas cacher le don que Dieu nous a accordé « dans la terre de ma captivité », car alors je l'ai cherché ardemment et, à ce moment-là, je l'ai trouvé, et il m'a gardé de toute injustice — à ce que je crois — « à cause de » son « Esprit demeurant en moi » et qui « a agi » en moi jusqu'à ce jour. (Je le dis) de nouveau « hardiment ». Mais Dieu sait que si un homme m'avait déclaré cela, je me serais peut-être tu à cause de l'amour du Christ [2].

34. Par conséquent, je rends d'inlassables actions de grâces à mon Dieu qui m'a gardé fidèle « au jour de ma tentation », de sorte que je lui offre aujourd'hui comme « une hostie vivante » mon âme en sacrifice, à lui le Christ mon Seigneur, qui « m'a gardé de toutes mes angoisses » ; et c'est pourquoi je dis : « Qui suis-je ? » ou : Quelle est ma vocation ? « Seigneur », toi qui as œuvré avec moi d'une manière si divine qu'aujourd'hui j'exalte et magnifie constamment ton nom parmi les païens, en quelque lieu que je sois, non seulement [3] dans le bonheur mais aussi dans la tribulation : quoi qu'il m'arrive donc de bien ou de mal, je dois l'accepter également et toujours rendre

---

der » (ainsi en *Conf.* 57, 5 ; *Ep.* 3, 5 ; 6, 5 ; en *Conf.* 46, 2, toutefois, il signifie « pardonner ») ; il propose donc que ce mot ait, ici aussi, le sens de « accorder ». Quant à Bieler, il comprend que l'ami, d'abord indulgent envers le péché de Patrick, l'aurait ensuite déconsidéré et déshonoré. Mais ce n'est pas le péché de Patrick envers qui l'ami s'était montré indulgent et qu'ensuite il déshonora, mais Patrick lui-même.

2. Par amour du Christ ou en Christ, Patrick aurait préféré ne mentionner ni la basse trahison de son ami intime ni les paroles divines par lesquelles Dieu lui fit comprendre qu'il désavouait une telle trahison ; il comprit cependant qu'il ne pouvait garder le silence parce que c'était le jugement de Dieu et non celui d'un homme, parce que c'était aussi la suprême manifestation de la sollicitude divine à son égard.

3. D'après BIELER (*LEB* 2), il y aurait eu contamination entre *non solum... sed etiam, nec solum... sed etiam* et *in secundis nec non in pressuris*.

suscipere et Deo gratias semper agere, qui mihi ostendit
12 ut indubitabilem eum sine fine crederem et qui me audierit ut ego inscius et *in nouissimis diebus* hoc opus tam
pium et tam mirificum auderem adgredere, ita ut imi-
tarem quippiam illos quos ante Dominus iam olim
16 praedixerat praenuntiaturos euangelium suum *in testi-*
monium omnibus gentibus ante *finem mundi,* quod ita
ergo uidimus itaque suppletum est : ecce testes sumus
quia euangelium praedicatum est usque ubi nemo ultra
20 est.

35. Longum est autem totum per singula enarrare
laborem meum uel per partes. Breuiter dicam qualiter
77 piissimus Deus de seruitute | saepe liberauit et de peri-
4 culis duodecim qua periclitata est anima mea, praeter
insidias multas et quae uerbis exprimere non ualeo. Nec
iniuriam legentibus faciam ; sed Deum auctorem habeo
qui nouit *omnia* etiam *antequam fiant,* ut me pauper-
8 culum pupillum idiotam tamen responsum diuinum creber
admonere.

PFCG – DPFCG – PFCG
12 audierit PFΔ² : adiuuerit *coni.* Bieler ‖ 13 inscius + sim Δ² ‖
inscius et *om.* v ‖ 14 mirificum + eum P ‖ auderem adgredere P :
audirem adgrederer F adire adgreder C adire adgrederer G ‖
16 praenuntiaturos v : praenuntiaturus PΔ² praenuntiaturum F
35, 1 longum *resumit* D ‖ 5 nec + et PFΔ² *forte recte* ‖ 6 deum :
dum FΔ² dominum v ‖ 7-**37,** 13 me — indulgeret *deest* D ‖ 8 idiotam tamen *coni.* White[1] : ideo tamen PFΔ² Bieler idiotam White[2]
v. notam ‖ 9 creber admonere *coni.* Bieler : creuerat monere P
creber admoneret F creberrime admonuit Δ² Stokes White creberrime admoneret v H-&-S

13 Act. 2, 17 ‖ 16-17 Cf. Matth. 24, 14
35, 7 Cf. Dan. 13, 42

1. Patrick a peut-être confondu *audierit* et *adiuuerit.*
2. Voir introd., p. 38-39.

grâces à Dieu qui m'a appris à lui faire confiance sans cesse, à lui dont on ne peut douter, et qui m'a exaucé [1] de sorte que, bien qu'ignare, j'ai osé entreprendre « dans les tout derniers jours » une œuvre sainte et admirable, au point d'imiter ceux dont le Seigneur avait prédit longtemps à l'avance qu'ils annonceraient son Évangile avant « la fin du monde, en rendant témoignage devant toutes les nations » : or, c'est cela que nous avons vu, c'est cela qui est accompli ; nous en sommes témoins : voici que l'Évangile a été prêché jusqu'aux lieux au-delà desquels il n'y a plus personne [2].

IV. Fruits du ministère en Irlande

35. Il serait trop long de raconter, l'un après l'autre, tous mes labeurs, ou même une partie d'entre eux. Je dirai brièvement comment le Dieu très bon m'a souvent libéré de l'esclavage et de douze dangers qui mirent ma vie en péril [3], sans compter de nombreux pièges et ce que je ne suis pas capable d'exposer avec des mots. Je ne veux pas ennuyer les lecteurs, mais Dieu, qui sait « toutes choses avant qu'elles n'arrivent », m'est garant du nombre de fois où une voix divine m'a averti, moi, un pauvre petit [4] ignorant [5] cependant.

3. Pour les douze dangers, voir D. S. NERNEY, « A Study of St. Patrick's Sources », dans *Irish Ecclesiastical Record* 72, 1949, p. 269.

4. Faut-il traduire *pupillus* par « orphelin » et conclure de l'emploi de ce terme par un homme âgé, évêque de longue date et dont les parents devaient être morts depuis longtemps, à un traumatisme psychologique dû à sa capture et qui aurait subsisté toute sa vie ?

5. Blaise cite *idiota* au sens de « simple », « ignorant » ; l'usage ecclésiastique de ce terme a été influencé par *Actes* 4, 13, *homines sine litteris et idiotae*, et AUGUSTIN peut écrire (*Enarr. in ps.* 96, 2) : *fecit discipulos suos idiotas homines loqui omnium gentium linguis.* Quant à l'expression *ideo tamen*, qui est le texte des manuscrits, elle ne se trouve qu'à la suite d'une négation, au sens de « mais pas... pour autant » : par exemple, « il était mon cousin, mais pas mon ami pour autant ».

36. *Vnde mihi haec sapientia,* quae in me non erat, qui nec *numerum dierum noueram* neque Deum sapiebam ? Vnde mihi postmodum donum tam magnum tam salubre
4 Deum agnoscere uel diligere, sed ut patriam et parentes amitterem ?

37. Et munera multa mihi offerebantur cum fletu et lacrimis et offendi illos, nec non contra uotum aliquantis de senioribus meis, sed gubernante Deo nullo modo
4 consensi neque adquieui illis — non mea gratia, sed Deus qui uincit in me et resistit illis omnibus, ut ego uene- ram ad Hibernas gentes euangelium praedicare et ab incredulis contumelias perferre, ut *audirem obprobrium*
8 *peregrinationis meae,* et persecutiones multas *usque ad uincula* et ut darem ingenuitatem meam pro utilitate
78 aliorum et, si dignus fuero, | promptus sum ut etiam animam meam incunctanter et libentissime pro nomine
12 eius et ibi opto impendere eam usque ad mortem, si Dominus mihi indulgeret,

38. quia ualde debitor sum Deo, qui mihi tantam gratiam donauit ut populi multi per me in Deum re- nascerentur et postmodum consummarentur et ut clerici
4 ubique illis ordinarentur ad plebem nuper uenientem ad credulitatem, quam sumpsit Dominus *ab extremis*

PFCG – DPFCG
36, 2 deum *om.* P

37, 5 uincit : uiɟcit G   uicit v ‖ 7 audirem Pv : aurem FΔ² haurirem Gᵖᶜ ‖ 8 persecutionis FC ‖ 9 darem + me PF   + me et v ‖ utilitatem C

38, 1 quia *resumit* D ‖ 2 renascantur PFΔ² ‖ 3 et — consumma- rentur *om.* D ‖ consumarentur P ‖ 4 illi G

36, 1 Matth. 13, 54 ‖ 2 Cf. Ps. 38 (39), 5
37, 7-8 Sir. 29, 30 (23) ‖ 8-9 II Tim. 2, 9

---

1. A part deux corrections tardives du *Sinaiticus,* les manuscrits de la *Septante* n'ont pas trace de cette ligne ; toutes les versions

36. « D'où me vient cette sagesse », qui n'était pas en moi alors que « je ne savais même pas le nombre de mes jours » et que j'ignorais Dieu ? D'où m'est venu ensuite un don si grand et si salutaire, connaître Dieu et l'aimer au point de quitter ma patrie et mes parents ?

37. Avec gémissements et avec larmes, ils m'offraient beaucoup de cadeaux et je les ai blessés, contrairement au vœu d'un certain nombre de mes seigneurs assurément ; mais, conduit par Dieu, je ne consentis à rien et ne leur cédai pas — non par moi-même, mais Dieu fut vainqueur en moi et s'opposa à eux tous, pour que je vienne chez les païens d'Irlande pour prêcher l'Évangile et subir des outrages de la part des incrédules, pour que « je m'entende reprocher la honte d'être un étranger [1] », que j'endure beaucoup de persécutions — et « même les chaînes » — et que je donne ma liberté [2] pour le bien d'autrui ; mais, si j'en suis digne, je suis également prêt à donner [3], sans hésitation et avec joie, ma vie pour le nom du Seigneur et je souhaite la dépenser ici jusqu'à la mort, s'il me le concède.

38. Car je suis grandement redevable à Dieu, qui m'a accordé une grâce si grande que, par mon intermédiaire, de nombreuses nations sont nées à nouveau pour Dieu et ont été ensuite confirmées ; que, pour elles, des clercs ont été ordonnés en tout lieu en faveur de ce peuple, qui venait de parvenir à la foi et que Dieu a pris « des extré-

---

atines la comportent, au contraire, mais sous la forme *et inproperium peregrinationis non audies*. Dans le contexte du chapitre 29 du Siracide, l'omission de la négation, qui serait un non-sens, n'est attestée par aucun manuscrit. Patrick a sans doute pris l'expression « la honte de ma qualité d'étranger » pour elle-même, en lui attribuant une valeur propre, indépendamment du contexte auquel il l'empruntait et dont *audirem* serait une vague réminiscence.

2. SALVIEN distingue (*De gub.* III, 10, 50) quatre catégories d'*ingenui* : les marchands, les *curiales* (catégorie de Patrick), les *officiales* et les militaires. Toutefois, d'après les termes utilisés en *Ep.* 10, 7, il veut certainement nous faire entendre que sa famille était noble.

3. Littéralement : « je suis également prêt à ma vie » (*ut... animam meam*, sans verbe).

terrae, sicut olim *promiserat per prophetas suos : Ad te gentes uenient ab extremis terrae et dicent : sicut falsa* 8 *comparauerunt patres nostri idola et non est in eis utilitas* ; et iterum : *Posui te lumen in gentibus ut sis in salutem usque ad extremum terrae.*

39. Et ibi uolo *expectare promissum* ipsius, qui utique
79 numquam | fallit, sicut in euangelio pollicetur : *Venient ab oriente et occidente et recumbent cum Abraham et Isaac* 4 *et Iacob*, sicut credimus ab omni mundo uenturi sunt credentes.

40. Idcirco itaque oportet quidem bene et diligenter piscare, sicut Dominus praemonet et docet dicens : *Venite post me et faciam uos fieri piscatores hominum* ; et iterum 4 dicit per prophetas : *Ecce mitto piscatores et uenatores multos, dicit Deus*, et cetera. Vnde autem ualde oportebat retia nostra tendere, ita ut *multitudo copiosa et turba* 80 Deo caperetur et ubique essent clerici qui | baptizarent 8 et exhortarent populum indigentem et desiderantem, sicut Dominus inquit in euangelio, ammonet et docet dicens : *Euntes ergo nunc docete omnes gentes baptizantes*

DPFCG

6-7 sicut — terrae *om.* v || ad — dicent *post* utilitas *l.* 9 *transposuit* D || 6 te *om.* PFΔ² || 7 uenient FΔ² : ueniunt D ueniant P || extremo P *v. notam* || falso D

39, 1 expectare : aspectare F || 2 pollicitur C || 3 et² + ab austro et ab aquilone et D || et² *om.* FΔ² || abraham PΔ² *scd. Ep. 18, 4* White² : abraam D H-&-S Stokes White¹ Bieler

40, 1 itaque *om.* vFΔ² || quidem *om.* D || 2 et docet *om.* PFΔ² || 3 fieri *om.* PFΔ² || piscatores : peccatores F || 4 dicit per prophetas *om.* D || piscatores : peccatores F || 5 oportebat DG : oportebatur PCF *forte* oportebat ut || 7 et : ut vFΔ² || 8 populum : propter P || 9 inquit *om.* D *ras.* G || admonens et dicens v || 10 ergo : ego F *om.* P || nunc D : *om.* PvFΔ²

38, 5-6 Act. 13, 47. Cf. Is. 49, 6 || 6 Rom. 1, 2 || 6-9 Jér. 16, 19 || 9-10 Act. 13, 47. Cf. Is. 49, 6
39, 1 Act. 1, 4 || 2-4 Matth. 8, 11

mités de la terre », comme « il l'avait promis » autrefois
« par ses prophètes : Les nations viendront à toi des
extrémités [1] de la terre et diront : puisque nos pères se
sont procuré de vaines idoles, il n'y a pas non plus d'uti-
lité en elles » ; et encore : « Je t'ai établi comme une
lumière parmi les nations, pour porter le salut jusqu'à
l'extrémité de la terre. »

39. C'est ici que je veux « attendre la promesse » de
celui qui ne fait assurément jamais défaut, comme il en
donne l'assurance dans l'Évangile : « Ils viendront de
l'Orient et de l'Occident [2] et se mettront à table avec
Abraham, Isaac et Jacob »; ainsi nous avons confiance
que des croyants viendront du monde entier.

40. C'est pourquoi il importe de s'adonner à la pêche
comme il faut et avec vigilance, selon l'exhortation et
l'enseignement du Seigneur qui dit : « Venez à ma suite
et je vous ferai devenir pêcheurs d'hommes » ; il dit
encore par les prophètes : « Voici que j'envoie des pêcheurs et des chasseurs en grand nombre », dit Dieu,
et cetera [3]. Aussi était-il très important de tendre nos
filets, afin qu'« une masse énorme », qu'« une foule » soit
prise pour Dieu et que, pour baptiser et exhorter le peuple
qui en a besoin et qui le désire, il y ait partout des clercs,
selon la parole, l'invitation et l'instruction [4] du Seigneur dans l'Évangile, où il dit : « Allez donc maintenant
instruire toutes les nations, les baptisant au nom du

40, 2-3 Matth. 4, 19. Cf. Mc 1, 17 ‖ 4-5 Jér. 16, 16 ‖ 6 Cf. Lc 6,
17 ; 5, 6 ‖ 10-14 Matth. 28, 19-20

---

1. Pour les variantes du texte, voir BIELER, *LEB* 1, p. 36.
2. La fusion opérée par D (voir apparat) entre *Lc* 13, 29 et
Matth. 8, 1, qu'on ne trouve ni dans la citation de ce verset de
Matthieu en *Ep.* 18, 3, ni dans le texte de l'évangile de Luc du *LA*,
figure chez le traducteur d'Irénée (*Adv. haer.*, IV, 8, 1). Voir la
note de BIELER, *LEB* 1, p. 36.
3. Cette expression est pour BIELER (*LEB* 2) l'indice d'une
citation plus longue, qui fut réduite de bonne heure, peut-être
dans le manuscrit Ω. Voir introd., p. 59.
4. Par cette insistance Patrick, qui utilise la Bible comme un
oracle (voir p. 49), veut attirer l'attention sur le grand nombre
de citations scripturaires qui vont suivre.

Saint Patrick.   8

eas in nomine Patris et Filii et Spiritus Sancti docentes
12 *eos obseruare omnia quaecumque mandaui uobis : et ecce*
ego uobiscum sum omnibus diebus usque ad consumma-
tionem saeculi ; et iterum dicit : *Euntes ergo in mundum*
uniuersum praedicate euangelium omni creaturae ; qui
16 *crediderit et baptizatus fuerit saluus erit ; qui uero non*
crediderit condempnabitur ; et iterum : *Praedicabitur*
hoc euangelium regni in uniuerso mundo in testimonium
omnibus gentibus et tunc ueniet finis ; et item Dominus
81 20 per prophetam praenuntiat inquit : *Et erit | in nouissi-*
mis diebus, dicit Dominus, effundam de spiritu meo super
omnem carnem et prophetabunt filii uestri et filiae uestrae
et iuuenes uestri uisiones uidebunt et seniores uestri somnia
24 *somniabunt et quidem super seruos meos et super ancillas*
meas in diebus illis effundam de spiritu meo et propheta-
bunt ; et in Osee dicit : *Vocabo non plebem meam plebem*
meam et non misericordiam consecutam misericordiam
28 *consecutam et erit in loco ubi dictum est : Non plebs mea*
uos, ibi uocabuntur filii Dei uiui.

41. Vnde autem Hiberione qui numquam notitiam
Dei habuerunt nisi idola et inmunda usque nunc semper
coluerunt quo modo nuper perfecta est plebs Domini
4 et filii Dei nuncupantur, filii Scottorum et filiae regulorum monachi et uirgines Christi esse uidentur ?

DPFCG – PFCG – PVFCG – DPVFCG
11-14 docentes — saeculi : reliqua usque dicit saeculi D ‖ 12 obseruare FΔ² : seruare Pv ‖ 14 dicit *om.* D ‖ 16-17 qui — condempnabitur *om.* v ‖ 17-29 et iterum — dei uiui : reliqua sunt exempla
D ‖ 20 praenuntiat PF : praenuntians vΔ² ‖ 22 uestri *resumit* V ‖
23 iuuenes : filii Δ² *om.* F ‖ uestri[1] *om.* F ‖ 25 prophetabant P ‖
26 plebem meam *semel tantum* PC ‖ 27-28 misericordiam consecutam
semel tantum PC ‖ 28 dictum est + eis P

41, 1 unde *resumit* D ‖ 2 dei *om.* D ‖ habuerant Φ (-R) ‖ et *om.* V ‖
nunc *om.* D ‖ 3 perfecta FG White² *scd. Luc. 1, 17* : facta D H-&-S
Stokes White[1] Bieler   fecta PC   effecta V ‖ 4 filii scottorum (c *eras.*
in C) : sc̄orum (= sanctorum *apud* Gwynn) D   filiis cottorum F   *v.*
notam ‖ filiae : filii P ‖ 5 esse : ipse FΔ² ‖ 42-53 *deest* D

Père et du Fils et du Saint-Esprit et leur apprenant à
observer tout ce que je vous ai commandé ; et voici que moi
je suis avec vous tous les jours jusqu'à la fin du monde. »
Il dit encore : « Allez donc dans le monde entier prêcher
l'Évangile à toute créature ; celui qui croira et sera baptisé
sera sauvé ; celui qui ne croira pas sera condamné [1]. » Et
encore : « Cet évangile du royaume sera prêché dans le
monde entier pour servir de témoignage à toutes les nations, et alors viendra la fin » ; le Seigneur prédit, de même,
par l'intermédiaire du prophète : « Il arrivera dans les derniers jours, dit le Seigneur, que je répandrai de mon Esprit
sur toute chair ; vos fils et vos filles prophétiseront, vos
jeunes gens auront des visions et vos vieillards des songes
et, en ces jours-là, je répandrai de mon Esprit sur mes serviteurs et sur mes servantes et ils prophétiseront » ; et, en
Osée, il dit : « Celle qui n'est pas mon peuple, je l'appellerai
' mon peuple ' et celle qui n'a pas obtenu miséricorde, je
l'appellerai ' ayant obtenu miséricorde ' et il arrivera qu'au
lieu même où il était dit : ' Vous n'êtes pas mon peuple ',
ils seront appelés ' fils du Dieu vivant '. »

41. C'est pourquoi ces gens qui, en Irlande [2], n'ont
jamais eu la moindre connaissance de Dieu, mais [3] qui
ont jusqu'à présent toujours adoré des idoles et des objets
impurs [4], comment sont-ils devenus récemment un peuple
du Seigneur et sont-ils appelés fils de Dieu ? comment
des fils de Scots [5] et des filles de petits rois [6] sont-ils des
moines et des vierges du Christ ?

14-17 Mc 16, 15-16 ‖ 17-19 Matth. 24, 14 ‖ 20-26 Act. 2, 17-18.
Cf. Joël 2, 28-29 ‖ 26-29 Rom. 9, 25-26. Cf. Os. 1, 10 ; 2, 1.24

1. La citation de *Matthieu* 28, 19-20 de D a été assimilée au texte
de l'évangile de Matthieu du *LA*.
2. Il semble préférable de faire de *Hiberione* (voir p. 29)
l'antécédent de *qui* — le nom du pays étant mis pour celui des
habitants —, plutôt que de suppléer , à la suite de Bieler, un mot
tel que *gentes* ou *homines*, en faisant de *Hiberione* un simple locatif.
3. *Nisi* n'est ici qu'un équivalent de « mais seulement ».
4. Ou : « des idoles impures » par hendiadyn.
5. J. Gwynn, que nous mentionnons dans l'apparat, est l'éditeur
de D dans le *Livre d'Armagh* : voir p. 11 n. 1.
6. BIELER a certainement raison d'interpréter (*LEB* 2) « fils et

42. Et etiam una benedicta Scotta genetiua nobilis
pulcherrima adulta erat, quam ego baptizaui ; et post
paucos dies una causa uenit ad nos, insinuauit nobis
4 responsum accepisse a nuntio Dei et monuit eam ut esset
uirgo Christi et ipsa Deo proximaret : Deo | gratias,
sexta ab hac die optime et auidissime arripuit illud quod
etiam omnes uirgines Dei ita hoc faciunt — non sponte
8 patrum earum, sed et persecutiones patiuntur et impro-
peria falsa a parentibus suis et nihilominus plus augetur
numerus (et de genere nostro qui ibi nati sunt nescimus numerum eorum) praeter uiduas et continentes.
12 Sed ex illis maxime laborant quae seruitio detinentur :
usque ad terrores et minas assidue perferunt ; sed Dominus gratiam dedit multis ex ancillis suis, nam etsi uetantur tamen fortiter imitantur.

43. Vnde autem etsi uoluero amittere illas et ut per-
gens in Brittanniis — et libentissime paratus eram quasi
ad patriam et parentes ; non id solum sed etiam usque
4 ad Gallias uisitare fratres et ut uiderem faciem sanctorum Domini mei : scit Deus quod ego ualde optabam,
sed *alligatus Spiritu*, qui mihi *protestatur* si hoc fecero,
ut futurum reum me esse designat et timeo perdere labo-

PVFCG
42 1 genetiua *om.* V ‖ 2 adulta : adultera FG[ac] (-ta G[pc]) ‖ 4
nuntio : nutu Δ² ‖ eam : etiam FΔ² ‖ 5 ipsa : ipsam *coni.* Bieler
scd. IV Esdr. 8, 47 ‖ 8 patiuntur PV H-&-S White Bieler : patian-
tur FΔ² Stokes patuntur V ‖ 12 ex illis *coni.* Bieler : et (*om.* P) illas
(illa⁙ G) Φ (-R) et illae *coni.* Ware H-&-S Stokes White ‖ 13 perferunt : perseuer̄ F   persuaserunt Δ² ‖ 14 suis : meis FΔ² ‖ etsi
uetantur *coni.* Papebroch edd. : et (*om.* Δ²) siue tantum Φ (-R)
43, 1 uoluero + *ras. ca. 8 litt.* G ‖ amittere : imitare P ‖ ut : ita P

43, 6 Act. 20, 22-23

filles de petits rois irlandais ». Cette expression reviendra en
Ep. 12, 7-8. Au sujet de ces « petits rois », voir p. 30.

42. Il y avait aussi une bienheureuse Scote de race noble, déjà adulte et de toute beauté ; je la baptisai ; quelques jours plus tard, elle vint nous trouver pour un motif particulier et elle nous expliqua qu'elle avait reçu un message d'un envoyé [1] de Dieu et qu'il l'invitait à devenir une vierge du Christ et à se rapprocher de Dieu : grâce à Dieu, six jours après, elle entreprit excellemment et avec une grande ardeur ce que font aussi toutes les vierges de Dieu — mais non de par la volonté de leurs pères ; elles subissent, au contraire, de la part de leurs parents des persécutions et des reproches immérités et néanmoins leur nombre s'accroît toujours davantage — quant à ceux de notre race [2] qui sont nés là, nous en ignorons le nombre — sans compter les veuves et ceux qui observent la continence. Parmi elles cependant, celles qui sont maintenues en esclavage ont le plus à souffrir : elles endurent avec constance jusqu'aux terreurs et aux menaces ; mais Dieu a accordé sa grâce à un grand nombre de ses servantes ; malgré l'interdiction, en effet, elles (l')imitent avec courage.

43. C'est pourquoi, même si je voulais les quitter pour me rendre en Bretagne — et j'y serais tout à fait disposé car (ce serait me rendre dans) ma patrie et auprès de mes parents [3], et non seulement là, mais aussi jusqu'en Gaule pour visiter les frères et afin de voir le visage des saints [4] de mon Seigneur : Dieu sait que je le souhaiterais vivement ; mais, « enchaîné par l'Esprit », m'attestant que, si je le fais, « il me dénonce » d'avance comme coupable, je crains aussi de perdre le fruit du travail que j'ai

---

1. *Nuntius,* c'est-à-dire *angelus.*
2. « Notre race » pourrait signifier « Irlandais » ; dans ce cas, *qui ibi nati sunt* ne pourrait désigner que ceux qui sont *re*-nés, c'est-à-dire baptisés. Mais il n'est pas prouvé que Patrick utilise *nascor* pour le baptême (on sait, au contraire — voir *Conf.* 38, 2-3 —, qu'il utilise *renascor*). Il faut donc admettre que « notre race » désigne des Bretons. La vie religieuse trouva donc de nombreux adhérents parmi les Bretons établis en Irlande.
3. « Parenté » ou « monastère apparenté ». Voir p. 156.
4. Patrick veut sans doute parler de moines. Voir p. 167.

8 rem quem inchoaui, et non ego sed Christus Dominus
qui me imperauit ut uenirem esse cum illis residuum
aetatis meae, si Dominus uoluerit et custodierit me ab
omni uia mala, ut non peccem coram illo ;

44. spero autem hoc debueram, sed memet ipsum non
83   credo | *quamdiu fuero in hoc corpore mortis*, quia fortis est
qui cotidie nititur subuertere me a fide et praeposita
4 castitate religionis non fictae usque in finem uitae meae
Christo Domino meo, sed caro inimica semper trahit ad
mortem, id est ad inlecebras inlicitate perficiendas ; et
scio ex parte quare uitam perfectam ego non egi sicut et
8 ceteri credentes, sed confiteor Domino meo, et non erubesco in conspectu ipsius, quia non mentior, ex quo
cognoui eum a iuuentate mea creuit in me amor Dei et
timor ipsius, et usque nunc fauente Domino *fidem*
12 *seruaui.*

45. Rideat autem et insultet qui uoluerit, ego non
silebo neque abscondo *signa et mirabilia* quae mihi a
Domino monstrata sunt ante multos annos quam fierent,
4 quasi qui nouit omnia etiam *ante tempora saecularia.*

46. Vnde autem debueram sine cessatione Deo gratias agere, qui saepe indulsit insipientiae meae negle-

PVFCG
9 esse cum *coni*. Bieler : essem com P   essemque cum V H-&-S
White   esse mecum (meum F   {ecum G) FΔ²   esse me cum *coni*.
Stokes
44, 3 nitantur P ‖ subuertitur P ‖ praeposita PF White² Bieler :
proposita Δ² H-&-S Stokes White¹   ‖ 4 ficta P ‖ 6 inlicitate :
inlicite Gᵖᶜ   in felicitate V *v. notam* ‖ 7 uitam — egi : ego uitam
perfectam non didici V
45, 2 silebo : similabo P ‖ 3 monstrata P : ministrata VFΔ² ‖
fierent : fuerunt (-ant G) FΔ²
46, 1 debuero FΔ²

44, 2 II Pierre 1, 13. Cf. Rom. 7, 24 ‖ 7 I Cor. 13, 9 ‖ 11-12
II Tim. 4, 7
45, 2 Dan. 6, 27 ‖ 4 II Tim. 1, 9

commencé, non de moi-même, mais c'est le Christ Seigneur qui m'a ordonné de venir passer auprès d'eux le reste de mes jours, si le Seigneur le veut et s'il me préserve de toute voie mauvaise pour que je ne pèche pas devant lui ;

44. je l'espère, c'est ce que je devais faire. Mais je n'ai pas confiance en moi-même « tant que je demeure dans ce corps de mort », car il est puissant, celui qui s'efforce chaque jour de me détourner de la foi et de la pureté d'une piété non feinte, que je me suis proposé de garder jusqu'à la fin de ma vie pour le Christ mon Seigneur ; mais la chair ennemie m'entraîne continuellement à la mort, c'est-à-dire à céder indûment [1] à ses séductions, et je n'ai qu'une connaissance partielle, parce que je n'ai pas mené une vie parfaite comme d'autres fidèles, mais je le confesse à mon Seigneur et je ne rougis pas en sa présence ; car je ne mens pas : depuis que je l'ai connu dans ma jeunesse [2], l'amour de Dieu a grandi en moi, ainsi que sa crainte, et jusqu'à présent, par la grâce du Seigneur, « j'ai gardé la foi ».

45. Que rie donc et que m'insulte qui voudra [3] ; moi, je ne me tairai pas et je ne cacherai pas « les signes et les merveilles » que le Seigneur m'a montrés, bien des années avant qu'ils ne soient accomplis [4], lui qui connaît toutes choses « avant même les temps éternels ».

46[5]. C'est pourquoi j'aurais dû rendre sans cesse grâces à Dieu, qui a si souvent pardonné ma sottise et ma négligence [6], et aussi de ce qu'il ne se soit pas une seule

---

1. Blaise cite — d'après une traduction latine, datée du VIe siècle, du *Commentaire* d'HESYCHIUS DE JÉRUSALEM *sur le Lévitique* (XXI, 5 *PG* 93, 1055 A) — : *ad illicitatem similis iniquitatis*, ce qui prouve l'existence du nom *inlicitas* (ou *illicitas*), qui avait échappé à Bieler, qui voyait ici un adverbe.

2. Soit, depuis son adolescence : voir chap. 2.

3. Ceci fait penser que, au moment où il rédigeait sa *Confession*, toute opposition envers Patrick n'avait pas cessé : voir p. 45-46.

4. Comme les visions des chap. 23 et 24.

5. Comme BIELER l'a souligné (*LEB* 2), ce chapitre est particulièrement confus et décousu.

6. Faut-il voir là un aveu de Patrick, qui reconnaîtrait que sa vie de péché persista au-delà même de sa conversion ?

gentiae meae et de loco non in uno quoque ut non mihi
4 uehementer irasceretur, qui adiutor datus sum, et non
cito adquieui secundum quod mihi ostensum fuerat et |
84   sicut *Spiritus suggerebat*, et *misertus est* mihi Dominus
in milia milium, quia uidit in me quod paratus eram,
8 sed quod mihi pro his nesciebam de statu meo quid
facerem, quia multi hanc legationem prohibebant, etiam
inter se ipsos pos tergum meum narrabant et dicebant :
« Iste quare se mittit in periculo inter hostes qui Deum
12 non nouerunt ? » — non ut causa malitiae, sed non
sapiebat illis, sicut et ego ipse testor, intellegi propter
rusticitatem meam — et non cito agnoui gratiam quae
tunc erat in me ; nunc mihi sapit quod ante debueram.

47. Nunc ergo simpliciter insinuaui fratribus et conser-
uis meis qui mihi crediderunt propter quod *praedixi et
praedico* ad roborandam et confirmandam fidem uestram.
4 Vtinam ut et uos imitemini maiora et potiora faciatis !
Hoc erit gloria mea, quia *filius sapiens gloria patris est.*

PVFCG
3 non² *om.* P ‖ 8 pro (*e* p *sic* G) Stokes White¹ Bieler : per PVFC ‖
de statu : detestatu F ‖ 9 prohibebam P ‖ 10 pos tergum Bieler :
postergum PC   post tergum VFG   *v. notam* ‖ meum : in eum P ‖
narrabam P ‖ dicebam P ‖ 11 periculum VFΔ² ‖ 12 causam P ‖ malitiae : militiae P ‖ 13 testor : testator F ‖ intellegi PCV Stokes
Bieler : intelligi G White   intellexi F   intellege *coni.* Grosjean   iter
illud *coni.* H-&-S ‖ 15 sapit : capit FΔ²
47, 1 insinuaui : insuaui FCGᵃᶜ ‖ 4 uos : nos P

46, 6 Jn 14,26 ‖ 6-7 Cf. Ex. 20, 6
47, 2-3 II Cor. 13, 2 ‖ 5 Prov. 10, 1 ; cf. 17, 6

1. Voir p. 155.
2. *Adiutor*, c'est-à-dire « évêque » ; voir p. 164.
3. *Pro his* est attesté en latin tardif au sens de *propter haec.*
4. Notre traduction laisse tomber *mihi*, que BIELER explique
(*LEB* 2) soit au sens de « par moi-même » (avec des parallèles en
latin tardif), soit comme un pléonasme particulièrement fréquent
avec des verbes de pensée ou de sentiment, comme dans le *Voyage*
d'ÉTHÉRIE (4, 8 : *gustauimus nobis loco in horto*) et chez BOÈCE
(*Consol.* II, 1.2 : *(fortuna) sicuti tibi fingis, mutata*).

fois [1] violemment irrité contre moi, qui ai été donné comme ministre [2]; mais je ne fus pas prompt à répondre à ce qui m'était manifesté et à ce que « l'Esprit m'inspirait » ; et le Seigneur « a eu pitié » de moi « en faveur de milliers et de milliers d'hommes », parce qu'il voyait que j'étais disponible, mais que je ne savais pas ce que, dans ces circonstances [3], je pouvais faire en ce qui concerne mon genre de vie [4] ; nombreux étaient, en effet, ceux qui s'opposaient à cette mission ; ils parlaient même entre eux derrière mon dos [5] et disaient : « Pourquoi celui-là se jette-t-il dans une entreprise périlleuse chez des étrangers qui ne connaissent pas Dieu ? » ce n'est pas par malice (qu'ils s'exprimaient ainsi), mais, je l'atteste moi-même, cela [6] ne pouvait pas être compris d'eux à cause de ma rusticité — et je n'ai pas été prompt à reconnaître la grâce qui était alors en moi ; maintenant m'est intelligible ce que j'aurais dû (comprendre) auparavant.

47. Maintenant j'ai donc simplement exposé à mes frères et à mes compagnons de service qui m'ont cru [7], pourquoi « j'ai prêché et continue de prêcher », en vue de fortifier et de confirmer votre foi. Puissiez-vous ambitionner [8], vous aussi, des buts plus élevés et accomplir des œuvres plus excellentes ! Ce sera ma gloire, car « un fils sage est la gloire de son père ».

---

5. A l'appui de la conjecture de Bieler, on peut évoquer l'épitaphe d'un travailleur occasionnel de Numidie (*CIL* VIII, 11, 824) : *demessor cunctos anteibam primus in aruis pos tergus linquens densa meum gremia* (citée par J. P. Brisson, *Autonomisme et christianisme dans l'Afrique romaine*, Paris 1958, p. 338). Voir aussi V. Väänänen, *Introduction*, p. 72, qui donne des exemples de *pos fata*, *posquam* et *pos Idus* trouvés à Pompéi.

6. C'est-à-dire « mon élévation à l'épiscopat », sujet implicite de *sapiebat*. Bieler paraît vouloir interpréter (*LEB* 2) : « ils n'aimaient pas l'idée... maintenant je sens que » ; mais il ne s'agit ni des sentiments ni des opinions d'hommes par ailleurs bien intentionnés, mais de leur incapacité à saisir le projet de Patrick.

7. Pour les destinataires de la *Confession*, voir p. 45-46.

8. Voir p. 168.

48. *Vos scitis* et Deus *qualiter* inter uos conuersatus sum a iuuentute mea in fide ueritatis et in sinceritate cordis. Etiam ad gentes illas inter quas habito, ego fidem 4 illis praestaui et praestabo. Deus scit *neminem* illorum 85 *circumueni*, nec cogito, propter Deum et | ecclesiam ipsius, ne excitem illis et nobis omnibus persecutionem et ne per me blasphemaretur nomen Domini ; quia scrip- 8 tum est : *Vae homini per quem nomen Domini blasphematur.*

49. Nam *etsi imperitus sum in omnibus* tamen conatus sum quippiam seruare me etiam et fratribus Christianis et uirginibus Christi et mulieribus religiosis, quae mihi 4 ultronea munuscula donabant et super altare iactabant ex ornamentis suis et iterum reddebam illis et aduersus me scandalizabantur cur hoc faciebam ; sed ego propter spem perennitatis, ut me in omnibus caute propterea 8 conseruarem, ita ut $<$ non $>$ me in aliquo titulo infideli caperent uel ministerium seruitutis meae nec etiam in minimo incredulis locum darem infamare siue detractare.

50. Forte autem quando baptizaui tot milia hominum sperauerim ab aliquo illorum uel dimidio scriptulae ? *Dicite mihi et reddam uobis.* Aut quando ordinauit ubique

PVFCG
48, 1 inter : apud Δ^2 inter *superscriptum* F ‖ 3 quos P
49, 1 in omnibus : nominibus VFC ‖ 2 seruare me : seruarem P ‖ 4 ultronea : ultro P ‖ 7 spem perennitatis F : spem perhennitatis VG semp ennitatis C ‖ 8 non *add.* Bieler *v. notam* ‖ aliquo : alio P ‖ infideli PFCG : infideles V H-&-S Stokes White ‖ 9 *ante* caperent *add.* non Ware H-&-S non carperent *coni.* Papebroch Stokes ‖ 10 dare P ‖ detrectare G^2 detractarent P
50, 2 dimidio : dimidium PG^2

48, 1 Act. 20, 18 ‖ 4-5 II Cor. 7, 2 ‖ 8-9 Matth. 18, 7. Rom. 2, 24
49, 1 II Cor. 11, 6
50, 3 I Rois 12, 3 (V. L.)

1. C'est, dans l'œuvre de Patrick, l'unique allusion à l'eucharistie.

48. « Vous savez », et Dieu sait aussi, « comment » je me suis comporté au milieu de vous depuis ma jeunesse dans la loyauté à l'égard de la vérité et dans la sincérité du cœur. Envers ces nations, au milieu desquelles j'habite, j'ai aussi toujours fait preuve de loyauté et je le ferai encore. Dieu sait que « je n'ai pris aucun d'eux en traître », et je n'y songe même pas, à cause de Dieu et de son Église, de peur de susciter une persécution contre eux et contre nous tous et que le nom du Seigneur ne soit blasphémé à cause de moi ; il est écrit, en effet : « Malheur à l'homme par qui le nom du Seigneur est blasphémé. »

49. En effet, « quoique je sois inexpert en toutes choses », je me suis cependant efforcé de me garder aussi de mes frères chrétiens, des vierges du Christ et des pieuses femmes, qui m'offraient spontanément de petits cadeaux et qui jetaient sur l'autel [1] une partie de leurs parures ; je les leur rendais et elles s'indignaient contre moi, se demandant pourquoi j'agissais ainsi ; mais je le faisais à cause de l'espoir en la permanence [2] (de ma mission), dans l'intention de me garder prudemment en toutes choses, de peur que [3], sous quelque prétexte de malhonnêteté, on ne me surprenne en faute, moi et le service de mon ministère, ou encore que, fût-ce pour un détail infime, je ne donne lieu aux diffamations et aux dénigrements des incrédules.

50. Lorsque j'ai baptisé tant de milliers d'hommes, ai-je par hasard attendu de l'un d'eux même la moitié d'un sou [4] ? « Dites-le-moi et je vous le rendrai. » Mais

---

2. Quoique le texte puisse également signifier « l'espoir de l'immortalité », nous adoptons ici l'interprétation de Bieler.

3. White a traduit, sans adjonction de *non* (voir app.) « pour que les païens me reçoivent pour n'importe quels motifs, moi et le ministère de mon service » ; mais la négation qui suit, *nec etiam... darem*, paraît exiger ici cette adjonction.

4. C'était une très petite pièce de cuivre dans l'Europe du temps de Patrick et comme, à partir du IIIe siècle et pendant plusieurs centaines d'années, une dévaluation incessante ne cessa d'affecter la monnaie de cuivre, une *scriptula* devait valoir très peu, moins qu'un centime actuel. Ce mot n'apparaît au féminin qu'ici. Plus

4 Dominus clericos per modicitatem meam et ministerium
86 gratis distribui illis, si poposci ab aliquo | illorum uel
pretium uel *calciamenti* mei, *dicite aduersus me et reddam
uobis*.

51. Magis ego *impendi pro* uobis ut me caperent et
inter uos et ubique pergebam causa uestra in multis
periculis etiam usque ad exteras partes, ubi nemo ultra
4 erat et ubi numquam aliquis peruenerat qui baptizaret
aut clericos ordinaret aut populum consummaret : do-
nante Domino diligenter et libentissime pro salute uestra
omnia generaui.

52. Interim praemia dabam regibus praeter quod
dabam mercedem filiis ipsorum qui mecum ambulant,
et nihilominus comprehenderunt me cum comitibus meis
4 et illa die auidissime cupiebant interficere me, sed tempus nondum uenerat, et omnia quaecumque nobiscum
inuenerunt rapuerunt illud et me ipsum ferro uinxerunt
et quartodecimo die absoluit me Dominus de potestate
8 eorum et quicquid nostrum fuit redditum est nobis propter Deum et *necessarios amicos* quos ante praeuidimus.

PVFCG
4 modicitatem : mollicitatem P ‖ 5 si poposci *om.* P ‖ 6 calciamenti : camenti P
51, 1 caperent *coni.* Papebroch edd. : caperet Φ (-R) ‖ 3 ad exteras : ad extras FΔ² ad dextras P ‖ 5 consummaret : in fide confir-
maret V ‖ 7 *post* omnia *indicat lacunam* Bieler *v. notam* ‖ generaui PΔ² White² Bieler : gessi V H-&-S Stokes White¹ generari F
52, 1 praeter : propter FΔ² ‖ 3 nichilominus V nihilhominum
P nihil FΔ² ‖ 4 cupiebam FΔ² ‖ 6 ipsum : ipso F *om.* C ‖ uixe-
runt F (n *superscriptum*) P ‖ 8 est : esset P ‖ 9 praeuidimus edd. :
pręuidimus GV preuidimus PCF.

6-7 I Rois 12, 3 (V. L.)
51, 1 II Cor. 12, 15
52, 4-5 Cf. Jn 7, 6 ‖ 9 Cf. Act. 10, 24

tard, le *screpall* irlandais sera une petite pièce d'argent. Voir
Bieler, *LEB* 2 et l'article d'Esposito, « Notes on the Latin Writings of St. Patrick », *JTS* 19, 1918, p. 342-346.

lorsque, par l'intermédiaire du peu que je suis, le Seigneur a ordonné des clercs en tout lieu, c'est gratuitement que je leur ai conféré le ministère ; si j'ai demandé à l'un d'eux fût-ce le prix d'« une paire de chaussures, dites-le-moi en face et je vous le rendrai ».

51. Bien plus ! « j'ai » tant « dépensé pour » vous, pour qu'ils me reçoivent, et je suis allé vers vous et partout à cause de vous, parmi de multiples dangers et même jusqu'aux districts écartés au-delà desquels il n'y avait plus personne et où nul n'était jamais venu pour baptiser, ordonner des clercs ou confirmer [1] le peuple : par la grâce de Dieu, j'ai tout suscité [2] avec vigilance et de grand cœur pour votre salut.

52. De temps à autre [3], j'offrais des présents aux rois, en plus des récompenses [4] dont je gratifiais leurs fils qui voyagent avec moi [5] ; ils m'arrêtèrent néanmoins avec mes compagnons et ils avaient ce jour-là un vif désir de me tuer, mais « le temps n'était pas encore venu » ; tout ce qu'ils purent trouver sur nous, ils s'en emparèrent [6], et moi-même, ils me lièrent avec des chaînes de fer ; et le quatorzième jour, le Seigneur me libéra de leurs mains et tout ce qui nous appartenait nous fut rendu à cause de Dieu et de ceux qui sont nos « amis intimes [7] et familiers » et que nous avions prévenus auparavant.

---

1. *Consummaret* : voir p. 169-171.
2. Bieler donne des exemples (*LEB* 2) où *generare* est pris au sens de *efficere, parare*.
3. C'est-à-dire, comme l'a souligné Bieler (*LEB* 2), « au cours de mon activité missionnaire ».
4. Sans doute des allocations pour subvenir à leur entretien.
5. Interprétant *ambulare* au sens de « patrouiller », Bieler explique (*LEB* 2) : « Les princes des différentes *tuatha* semblent avoir organisé la sauvegarde de Patrick comme une véritable institution. » Mais *ambulare* peut signifier « aller » et s'appliquer à des fils de chefs formés par Patrick, éventuellement en vue du ministère. Quelle que soit l'activité à laquelle Patrick fait allusion, l'emploi du présent donne à penser qu'elle se poursuit au moment où la Confession est rédigée. Voir p. 45.
6. Cette construction est attestée dans le *Journal de Voyage* d'Éthérie et chez Victorinus de Pettau (Bieler, *LEB* 2).
7. Peut-être des Bretons établis en Irlande : voir *Conf.* 42, 10-11.

53. Vos autem experti estis quantum ego erogaui illis
qui iudica|bant per omnes regiones quos ego frequentius
uisitabam. Censeo enim non minimum quam pretium
4 quindecim hominum distribui illis, ita ut me fruamini et
ego uobis semper fruar in Deum. Non me paenitet nec satis
est mihi : adhuc *impendo et superimpendam* ; potens est
Dominus ut det mihi postmodum ut meipsum *impendar*
8 *pro animabus uestris.*

54. Ecce *testem Deum inuoco in animam meam quia
non mentior* : neque ut sit *occasio adulationis* uel *auaritiae*
scripserim uobis neque ut honorem spero ab aliquo uestro ;
4 sufficit enim honor qui nondum uidetur sed *corde credi-
tur* ; *fidelis* autem *qui promisit : numquam mentitur.*

55. Sed uideo iam *in praesenti saeculo* me supra modum
exaltatum a Domino, et non eram dignus neque talis ut
hoc mihi praestaret, dum scio certissime quod mihi melius
4 conuenit paupertas et calamitas quam diuitiae et dili-
ciae (sed et *Christus Dominus pauper* fuit | *pro nobis,*
ego uero miser et infelix etsi opes uoluero iam non
habeo, *neque me ipsum iudico*), quia cotidie spero aut
8 internicionem aut circumueniri aut redigi in seruitutem

PVFCG-DPVFCG
53, 2 iudicabant PV White[2] Bieler : indicabant FΔ[2] Stokes White[1]
indigebant *coni.* H-&-S ‖ 5 deo P ‖ 6 impendo : impendat PG[ac]
impendam G[pc] ‖ 7 impendar *coni.* White Bieler : impendat PCFG[ac]
H-&-S Stokes   impendam VG[pc]
54, 1 ecce *resumit* D ‖ 2-3 adulationis — scripserim *om.* D ‖ 3
spero — uestro D : sperarem (serarem F) uestrum Φ (-R) ‖ 4 enim
+ mihi PVFG ‖ 4-5 nondum — promisit *om.* D ‖ 5 numquam :
non D   *v. notam*
55, 2 exaltatum : exultatum FΔ[2]   exaltatus sum D ‖ 3 certissime quod mihi *om.* D ‖ 4 diuitiae et diliciae DVG[2] : dilitias et diuitias PFΔ[2] ‖ 7 spero : sperno Δ[2]

53, 6 II Cor. 12, 15 ‖ 7-8 Cf. II Cor. 1, 23. Gal. 1, 20
54, 1 II Cor. 1, 23 ‖ 2 Cf. Gal. 1, 20. I Thess. 2, 5 ‖ 4-5 Cf. Rom.
10, 10 ‖ 5 Hébr. 10, 23. Tite 1, 2

53. Vous avez appris [1] combien j'ai distribué à ceux qui rendaient la justice dans tous les districts et que je visitais fréquemment. Je pense ne pas leur avoir donné une somme inférieure au prix de quinze hommes, afin que vous puissiez jouir de moi et moi toujours jouir de vous en Dieu. Je ne le regrette pas, mais ce n'est pas assez pour moi : « je dépense » encore et « je dépenserai au-delà de toute mesure » ; le Seigneur est assez puissant pour m'accorder un jour de « me dépenser » moi-même « pour vos âmes ».

54. Voici que, « sur mon âme, je prends Dieu à témoin que je ne mens pas » : ce n'est ni pour susciter « un prétexte à la flatterie » ou « à la cupidité », ni parce que j'attends une marque d'honneur de l'un d'entre vous, que je vous écris ; car l'honneur qui ne se voit pas encore mais qu'on « croit dans son cœur » me suffit ; « fidèle est celui qui a fait la promesse : jamais il ne ment [2] ».

55. Mais je constate que, « dès le siècle présent », le Seigneur m'a exalté au-delà de toute mesure ; et je n'étais ni digne ni tel qu'il l'eût fallu pour qu'il m'accorde cela, puisque je sais avec certitude que pauvreté et malheur me conviennent mieux qu'abondance et délices [3] —, mais « le Christ Seigneur » lui-même fut « pauvre pour nous », et moi, pauvre et malheureux [4], même si je voulais les richesses, je ne les possède cependant pas et « je ne me juge pas non plus moi-même [5] » —, car chaque jour je m'attends à être assassiné, pris au piège,

55. 1 Gal. 1, 4 ‖ 5 II Cor. 8, 9 ‖ 7 I Cor. 4, 3

---

1. Comme au ch. 51, Patrick s'adresse aux chrétiens irlandais.
2. Patrick cite probablement de mémoire : la Bible latine a, comme D : *non mentitur*.
3. C'est peut-être une allusion au train de vie normal d'un évêque du ve siècle.
4. D'un point de vue mondain seulement. On pourrait traduire cette expression par « ne possédant ni aisance ni bien-être ».
5. Faisant de *neque me ipsum iudico* une reprise de *scio certissime* de la ligne 3, Bieler en conclut que Patrick a voulu dire : « Je sais avec une pleine certitude... mais non par mon propre jugement. »

siue occasio cuiuslibet, *sed nihil horum uereor* propter
promissa caelorum, quia iactaui meipsum in manus Dei
omnipotentis, qui ubique dominatur, sicut propheta dicit :
12 *Iacta cogitatum tuum in Deum et ipse te enutriet.*

56. Ecce nunc *commendo animam meam fidelissimo
Deo* meo, *pro quo legationem fungor in* ignobilitate mea,
sed quia personam non accipit et elegit me ad hoc offi-
4 cium ut *unus* essem *de suis minimis* minister.

57. Vnde autem *retribuam illi pro omnibus quae retri-
buit mihi.* Sed quid dicam uel quid promittam Domino
meo, quia nihil ualeo nisi ipse mihi dederit ? Sed *scruta-*
89   4 *tor corda et renes* quia satis et nimis | cupio et paratus
eram ut donaret mihi *bibere calicem* eius, sicut indulsit
et ceteris amantibus se.

58. Quapropter non contingat mihi a Deo meo ut
numquam amittam *plebem suam quam adquisiuit* in
ultimis terrae. Oro Deum ut det mihi perseuerentiam et
4 dignetur ut reddam illi testem fidelem usque ad transi-
tum meum propter Deum meum,

59. et si aliquid boni umquam imitatus sum propter
Deum meum, quem diligo, peto illi det mihi ut cum illis

PVFCG – PFCG
9 occasionem G^2 || 9-**61**, 6 sed — euaseram *deest* D || 11 qui : quia
VFC   qui¾ G
56, 4 ministris P
57, 1 retribuit V retribuat FΔ^2 retribuet P || 3 ualeo : uideo
FΔ^2 || scrutator V Bieler : scrutatur Pv H-&-S Stokes White
scrutabor FΔ^2 *v. notam*
58, 1 quapropter PVG^{pc} : quia propter FΔ^2 || contingat P White[2]
Bieler *coniecerant* Ware H-&-S Stokes : contingunt VFΔ^2 *vide
notam* || 2 numquam : umquam P || 4 illi + me Papebroch H-&-S
Stokes White[1] || testem fidelem : testimonium fidele White[2]
59, 2 peto + igitur V || illi : illum G^{pc} || 2 - *Ep.* **15**, 7 illi — expor-
ta(ti) *folium excidit in* V

9 Act. 20, 24 || 12 Ps. 54, 23 (55, 22)
56, 1-2 I Pierre 4, 19 || 2 Éphés. 6, 20 || 4 Matth. 25, 40
57, 1-2 Ps. 115 (116), 12 || 3-4 Ps. 7, 10 || 5 Matth. 20, 22

réduit en servitude ou à n'importe quelle éventualité [1] ;
« mais », à cause des promesses du ciel, « je ne redoute
rien de tout cela » ; selon le conseil du prophète : « Jette
ton souci en Dieu et lui-même te nourrira », je me suis,
en effet, jeté moi-même dans les mains du Dieu tout-
puissant qui règne en tout lieu [2].

V. Conclusion

56. Voici que « je confie ma vie au Dieu très fidèle, pour
qui je m'acquitte d'une mission » malgré ma bassesse,
car il ne fait pas acception de personne et m'a choisi
pour cet office, afin que je sois son serviteur, « un des
plus petits d'entre les siens ».

57. « Comment lui rendrai-je tous ses bienfaits envers
moi ? » Mais que puis-je dire ou promettre à mon Seigneur,
vu que je n'ai pas d'autre capacité que celle dont lui-même
m'a doté ? Mais « qu'il scrute [3] mon cœur et mes reins »,
car je désire vivement, trop vivement même, et je me suis
préparé à ce qu'il me donne « son calice à boire », comme
il l'a aussi accordé à d'autres hommes qui l'aiment [4].

58. Aussi, que, par la volonté de mon Dieu, jamais il
ne m'arrive [5] de « perdre le peuple qu'il s'est acquis » à
l'extrémité de la terre ! Je prie Dieu de me donner la
persévérance et de bien vouloir que je lui rende, jusqu'à
mon départ, un témoignage fidèle à cause de mon Dieu,

59. et, s'il m'est arrivé de réaliser quelque œuvre
bonne pour mon Dieu que j'aime, je lui demande de

58, 2 Is. 43, 21

1. Voir p. 41-52.
2. C'est de la foi pure, qui n'implique aucun espoir de voir Dieu
lui assurer la prospérité ou le délivrer du malheur.
3. Nous admettons l'explication de BIELER (*LEB* 2) : *scrutator*
est une forme archaïque de l'impératif de la troisième personne
du singulier, qui s'est maintenue dans le parler populaire.
4. Faut-il voir là une allusion à des martyrs en Irlande avant
l'époque de Patrick ? ou même à Palladius ? voir p. 31.
5. Ware, cité dans l'apparat, est le premier éditeur de la *Confession* : voir p. 62-63.

Saint Patrick.   9

proselitis et captiuis pro nomine suo effundam sangui-
4 nem meum, etsi ipsam etiam caream sepulturam aut
miserissime cadauer per singula membra diuidatur cani-
bus aut bestiis asperis aut *uolucres caeli comederent illud.*
Certissime reor, si mihi hoc incurrisset, lucratus sum
8 animam cum corpore meo, quia, sine ulla dubitatione,
in die illa *resurgemus* in claritate solis, hoc est *in gloria*
Christi Iesu redemptoris nostri, quasi *filii Dei* uiui et
90 *coheredes Christi* et *conformes futuri imaginis* | *ipsius* ;
12 quoniam *ex ipso et per ipsum et in ipso* regnaturi sumus.

60. Nam sol iste quem uidemus < ipso > iubente
propter nos cotidie oritur, sed numquam regnabit neque
permanebit splendor eius, sed et omnes qui adorant eum
4 in poenam miseri male deuenient ; nos autem, qui credimus et adoramus solem uerum Christum, qui numquam interibit, neque *qui fecerit uoluntatem* ipsius, sed
manebit in aeternum quomodo et Christus manet in aeter-
8 *num*, qui regnat cum Deo Patre omnipotente et cum
Spiritu Sancto ante saecula et nunc et per omnia saecula
saeculorum. Amen.

61. Ecce iterum iterumque breuiter exponam uerba

PFCG
4 ipsam PF : ipse Gᵖᶜ   ipsum C   ipsa v ‖ 5 miserissime P White²
Bieler *coniecerant* Stokes White¹ : misserissime F   miserri⁞⁞⁞me
G   miserrime v H-&-S ‖ 6 comederem P comederunt FGᵃᶜ co-
mederint Gᵖᶜ   comedant v ‖ 7 incurrisset PFΔ² Stokes White
Bieler : curae sit v H-&-S   occurrisset *coni.* Hitchcock ‖ 9 gloriam P ‖ 11 futuri P : futurae FΔ² ‖ 12 quoniam — sumus : quam
ex ipso regnaturi sumus P   *om.* F

60, 1 < ipso > *coni.* Bieler ‖ *super* iubente *scripsit* deo G ‖ 3 qui
erasit G ‖ 6 fecerit PvGᵖᶜ : fecerat FΔ² ‖ 7 quomodo — aeternum
om. C ‖ manet v : permanet P   manebit F   permanebit G   *v. notam*

61, 1 iterum iterumque : iterumqui P

59, 6 Lc 8, 5 ‖ 9 I Cor. 15, 43 ‖ 10-11 Rom. 8, 16-17.29 ‖ 12 Rom.
11, 36
60, 6-8 I Jn 2, 17 (V. L.)

m'accorder de verser, en l'honneur de son nom, mon sang avec ces étrangers et ces captifs, dussé-je être privé de sépulture ou mon cadavre dût-il être partagé indignement, membre à membre, entre les chiens ou les bêtes fauves, ou « être dévoré par les oiseaux du ciel ». J'ai l'assurance que, si cela m'arrivait, je gagnerais, comme récompense, mon âme avec mon corps car en ce jour-là « nous ressusciterons » sans aucun doute dans la clarté du soleil — c'est-à-dire « dans la gloire » du Christ Jésus, notre rédempteur —, comme des « fils du Dieu » vivant, des « cohéritiers du Christ », « destinés à devenir conformes à son image » ; car, « de lui, par lui et en lui », nous régnerons.

60. C'est, en effet, sur son ordre que ce soleil que nous voyons se lève chaque jour pour nous, mais jamais il ne régnera et son éclat ne subsistera pas, mais aussi tous ceux qui l'adorent tomberont misérablement dans le châtiment, les malheureux [1] ! au contraire de nous, qui croyons et adorons le soleil véritable, le Christ, qui jamais ne périra, et « quiconque fait sa volonté » ne périra pas, mais il « demeurera éternellement, de même que le Christ demeure éternellement [2], » lui qui règne avec Dieu le Père tout-puissant et l'Esprit-Saint avant les siècles, maintenant et pour tous les siècles des siècles. Amen.

61. Voici que, encore et à nouveau [3], je vais exposer

---

1. C'est du latin aussi familier que possible.
2. Cette adjonction à *I Jean* 2, 17 se retrouve chez Cyprien, Augustin et Zénon de Vérone. Pour la leçon *manebit in aeternum*, voir BIELER, *LEB* 1, p. 38.
3. BIELER a démontré (*Life and Legend*, p. 33-41 et *LEB* 2) d'importantes analogies entre ces deux derniers chapitres et la fin de l'*Épître* (18-21) : une allusion à la royauté des chrétiens (18, 1-2), une phrase du troisième chapitre avant la fin (19, 8) qui se termine par la formule *saecula saeculorum*, une même citation biblique (20, 1) et, pour finir, un appel au lecteur (21, 1-5). C'est pourquoi nous refusons la suggestion de ceux qui, considérant la formule liturgique solennelle de la fin du chapitre 60, ainsi que l'expression *iterum iterumque* du chapitre 61, se sont demandé si le chapitre 60 ne formait pas, à l'origine, la conclusion de la *Confession* et si Patrick lui-même n'avait pas ajouté plus tard les chapitres 61 et 62.

confessionis meae. *Testificor* in ueritate et in exultatione
cordis *coram Deo et sanctis angelis eius* quia numquam
4 habui aliquam occasionem praeter euangelium et promissa
illius ut umquam redirem ad gentem illam unde prius
uix euaseram.

91 | **62.** Sed precor credentibus et timentibus Deum,
quicumque dignatus fuerit inspicere uel recipere hanc
scripturam quam Patricius peccator indoctus scilicet
4 Hiberione conscripsit, ut nemo umquam dicat quod mea
ignorantia, si aliquid pusillum egi uel demonstrauerim
secundum Dei placitum, sed arbitramini et uerissime
credatur quod donum Dei fuisset. Et haec est confessio
8 mea antequam moriar.

PFCG – DPFCG
2 testificabor P || 3 quia v : qui PFΔ^2 || 4 praeter : propter G ||
5 illius : ipsius P || umquam : numquam P || redirem ad gentem v :
redderem (-e P) agentem (-e P) FΔ^2 || 5 unde v : unde autem PFΔ^2

62, 1 sed *resumit* D || 3 indoctus : et doctus P || 5 egi P : ego FΔ^2 ||
6 dei placitum *om.* D || 7 donum D : *om.* PvFΔ^2 || dei DPFΔ^2 : deus
v || 8 *post* moriar + huc usque uolumen quod Patricius manu
conscripsit sua, septima decima martii die translatus est Patricius
ad caelos D   EXPLICIT LIBER I INCIPIT LIBER II CG
EXPLICIT LIBER PRIMUS INCIPIT SECUNDUS F

61, 2-3 Cf. II Tim. 4, 1. I Tim. 5, 21

brièvement les paroles de ma confession : en vérité et dans l'allégresse de mon cœur, « j'atteste devant Dieu et devant ses saints anges » que je n'ai jamais eu aucun autre motif que l'Évangile et ses promesses pour retourner un jour auprès de cette nation, à laquelle je n'avais échappé auparavant qu'avec peine.

62. Mais j'adresse une prière aux hommes croyants et craignant Dieu, qui daigneront considérer et accueillir cet écrit, que Patrick, un pécheur vraiment ignorant, a composé en Irlande [1] : si j'ai fait ou exposé quelque petite chose selon le bon plaisir de Dieu, que nul ne dise que c'est l'ignorant que je suis (qui l'a faite), mais pensez — et que l'on tienne pour tout à fait certain — que ce fut un don de Dieu. Ceci est ma confession [2] avant que je ne meure.

---

1. Noter la ressemblance avec *Ep.* 1, 1 : *Patricius peccator indoctus scilicet* et *Hiberione*.
2. Voir p. 45-46.

1. Patricius peccator indoctus scilicet Hiberione constitutus episcopum me esse fateor. Certissime reor a Deo
accepi *id quod sum.* Inter barbaras itaque gentes habito
4 proselitus et profuga ob amorem Dei ; testis est ille si
ita est. Non quod optabam tam dure et tam aspere aliquid ex ore meo effundere ; sed cogor *zelo Dei,* et ueritas
Christi excitauit, pro dilectione proximorum atque filio-
8 rum, pro quibus *tradidi* patriam et parentes et *animam*
92 *meam usque ad mortem.* | Si dignus sum, uiuo Deo meo
docere gentes etsi contempnor aliquibus.

PFCG
Tit. < LIBER SECUNDUS EPISTOLA AD MILITES CORO-
TICI > Bieler *v. notam*
1, 1 *post* indoctus *erasit ca. 6 litt.* G || *ante* constitutus + a deo P ||
constitutum G White¹ || 2 episcopus v || me esse fateor *om.* v || reor
a *om.* P || 3 barbaros Gᵖᶜ || gentes v : *om.* PFΔ² || 4 prosilitis P ||ab
amore (-ē G) PG || 6 ueritas P : ueritatis vFΔ² || 9 uiuo PF Bieler :
uoui vG H-&-S Stokes White noui C || 10 etsic P || contempnor
PG : contemptior C contemnor F contemnar v || aliquibus *coni.*
Bieler : aliquibusdam P White²   aquibusdam v H-&-S Stokes
White¹ aquibus F ˧quibus G

1, 3 I Cor. 15, 10 || 6 Cf. I Macc. 2, 54 || 8-9 Phil. 2, 30

1. Aucun manuscrit ne donne de titre à cet ouvrage (voir
cependant l'apparat de la fin de la *Confession).* Celui que nous
avons adopté ici est dû à Bieler, qui s'est servi d'une liste des têtes
de chapitres de l'ouvrage de Muirchú, liste qui se trouve dans le
LA à une place (fᵒ 20 ᵛ) qui n'est pas la sienne et qui renferme une
allusion à *milites Corotici regis Aloo* (c'est-à-dire le lieu appelé
plus tard Ail-Cluaide et aujourd'hui Dumbarton, en Écosse, sur la
Clyde). Le manuscrit de Bruxelles reproduit le même titre à l'inté-

Livre II

LETTRE AUX SOLDATS DE COROTICUS [1]

1. Moi Patrick, un pécheur vraiment ignorant établi [2] en Irlande, j'affirme être évêque. Je suis absolument certain d'avoir reçu de Dieu d'être « ce que je suis ». C'est parmi des nations barbares que j'habite, étranger et fugitif par amour pour Dieu ; lui-même m'est témoin qu'il en est ainsi. Ce n'est pas que j'aie souhaité prononcer de ma bouche des paroles très dures et très sévères ; mais j'y suis contraint « par zèle envers Dieu » et poussé par la vérité du Christ à cause de mon affection envers mon prochain [3] et mes fils, pour qui « j'ai abandonné » ma patrie, ma famille et « ma vie jusqu'à la mort ». Si j'en suis digne, je vis pour mon Dieu [4], afin d'enseigner les nations, même si je suis méprisé d'un certain nombre.

rieur de l'ouvrage de Muirchú. Comme Bieler le souligne (*LEB* 2), si Patrick s'adresse ici aux soldats de Coroticus, il s'adresse, dans d'autres parties de l'*Épître*, à Coroticus lui-même et, ailleurs encore, aux sujets chrétiens de Coroticus. Ce titre n'est donc pas tout à fait exact. Voir Grosjean, *AB* 63, p. 100 s., et 76, 1958, p. 367-369.

2. Bieler relève (*LEB* 2) que *constitutus* est bien attesté en ce sens ; c'est, dit-il, l'équivalent normal de ὤν en latin tardif ; cf. *Matth.* 8, 9 : *sub potestate constitutus* (Vulg.), Tertullien, *Adv. Prax.* 7 : *secundus a Deo constitutus*, Sulpice Sévère, *Ep.* 3, 3 : *ego... Tolosae positus tu Treueris constituta*, et la version latine — datant de la seconde moitié du ivᵉ siècle — de la *Vie* de saint Antoine par Athanase. La traduction de cette édition a donc suivi l'interprétation de Bieler. Voir aussi P. Grosjean, *AB* 51, 1933, p. 418.

3. *Proximi* désigne ici « le prochain qui est en Irlande » — un terme collectif —, non « les proches », qui seraient la parenté bretonne de Patrick.

4. Bieler souligne (*LEB* 2) la ressemblance entre cette phrase et le sentiment exprimé à la fin du chapitre 13 de la *Confession*.

2. Manu mea scripsi atque condidi uerba ista danda
et tradenda, militibus mittenda Corotici, non dico ciuibus meis neque ciuibus sanctorum Romanorum sed
4 ciuibus daemoniorum, ob mala opera ipsorum. Ritu
hostili in morte uiuunt, socii Scottorum atque Pictorum apostatarumque. Sanguilentos sanguinare de sanguine innocentium Christianorum, quos ego in numero
8 Deo genui atque in Christo confirmaui !

3. Postera die qua crismati neophyti in ueste candida
— flagrabat in fronte ipsorum dum crudeliter trucidati
atque mactati gladio supradictis — misi epistolam cum
4 sancto presbytero quem ego ex infantia docui, cum
clericis, ut nobis aliquid indulgerent de praeda uel de
captiuis baptizatis quos ceperunt : cachinnos fecerunt de
illis.

4. Idcirco nescio quid magis lugeam : an qui inter-
fecti uel quos ceperunt uel quos grauiter zabulus inla-
queauit. Perenni poena gehennam pariter cum ipso

PFCG

2, 2 Corotico Grosjean *qui interpunxit ante* mittenda   *v. notam* ||
5-6 apostatarumque Pictorum ∼ *coni.* Bieler || 6 apostatarum
(-torum P) que PFΔ² Stokes White Bieler : apostatarum quasi v   *v.
notam* || sanguilentos Bieler : sangulentos PF   sanguelentos CGªᶜ
Stokes   sanguinolentos Gᵖᶜ   sanguine uolentes v   *v. notam* ||
saginare v || 7 in numero P Bieler : innumerum FΔ² Stokes   innu-
meros v H-&-S White   innumerum < numerum > *coni.* Bury
v. notam

3, 2 flagrabat (-ant G) PvΔ² : fragrabat F   *v. notam* || 3 *ante* misi
+ et FC (*ras. in* G) || 6 baptizatos P

---

1. Patrick semble avoir recherché délibérément la solennité
de l'expression.
2. Voir P. Grosjean, *AB* 76, 1958, p. 367-369.
3. De nombreux philologues — Bieler, en particulier — ont
relevé l'usage du mot *ciues* par Gildas (*De excidio*, 15, 20, 26).
4. D'après P. Grosjean (*AB* 76, p. 375), il ne s'agit pas « nécessairement de chrétiens qui ont renié leur foi en retournant à l'ido-
lâtrie ou en versant dans l'hérésie, mais qui s'en sont rendus indignes

2. C'est de ma main que j'écris et rédige cet avertissement, qui doit être donné, transmis et envoyé [1] aux soldats de Coroticus [2], je ne dis ni « mes concitoyens [3] », ni « les concitoyens des saints romains », mais, à cause de leurs œuvres mauvaises, « les concitoyens des démons ». Comme des ennemis, ils vivent dans la mort, s'associant aux Scots et aux Pictes apostats [4]. Ensanglantés [5], ils sont couverts du sang des chrétiens innocents, que j'ai engendrés en grand nombre [6] pour Dieu et que j'ai confirmés dans le Christ !

3. Au lendemain du jour où les néophytes en vêtement blanc reçurent l'onction — elle répandait un parfum [7] sur leurs fronts, tandis qu'ils étaient cruellement assassinés et massacrés par le glaive des individus susdits [8] —, j'ai envoyé une lettre [9] par l'intermédiaire d'un saint prêtre, que j'ai instruit dès sa jeunesse, avec d'autres clercs, afin que ces gens nous accordent quelque chose de leur butin et quelques-unes des baptisés qu'ils ont pris et faits prisonniers : ils se sont bien gaussés d'eux !

4. C'est pourquoi, je ne sais que déplorer davantage : les tués, les captifs ou ceux que le diable a dangereusement fait tomber dans ses filets. Tout comme lui, ils

---

par leurs mauvaises actions » ; de même Bieler (*LEB* 2, p. 194-195) et M. Kerlouégan. Nous serions plutôt d'avis (voir ci-dessus p. 23 et note) que ces Pictes n'avaient pas été évangélisés et que, dans la bouche de Patrick, « apostat » désigne une « canaille », « un misérable », quelle que soit la forme de sa scélératesse. Voir aussi les corrections proposées par Grosjean pour ce passage (*AB* 63, 1945, p. 372 s.).

5. Bieler cite (*LEB* 2) plusieurs exemples où *sanguilentus* est mis pour *sanguinolentus*. Il en cite également pour *sangulentus* et *sanguelentus*.

6. J. B. Bury a étudié ce texte (*op. cit.* p. 316).

7. *Flagrabat* est une variante orthographique de *fragrabat* et signifie « exhaler un parfum » et non « briller », comme le traduit Marsh. Patrick ne veut pas dire que les brigands interrompirent la cérémonie du baptême et de la confirmation : les nouveaux initiés ont pu garder le chrême sur leurs fronts et porter leurs vêtements blancs plusieurs jours.

8. Voir note sur *Conf.* 29, 1-2.

9. Une première lettre dont toute trace a disparu : voir p. 42.

4 mancipabunt, quia utique *qui facit peccatum seruus est*
et *filius zabuli* nuncupatur.

93 | 5. Quapropter resciat omnis homo timens Deum quod
a me alieni sunt et a Christo Deo meo, *pro quo legatio-*
nem fungor, patricida, fratricida, *lupi rapaces deuorantes*
4 *plebem Domini ut cibum panis*, sicut ait : *Iniqui dissipaue-*
runt legem tuam, Domine, quam in supremis temporibus
Hiberione optime benigne plantauerat atque instructa
erat fauente Deo.

   6. Non usurpo. Partem habeo cum his *quos aduocauit et*
praedestinauit euangelium praedicare in persecutionibus
non paruis *usque ad extremum terrae*, etsi inuidet ini-
4 micus per tyrannidem Corotici, qui Deum non ueretur
nec sacerdotes ipsius, quos elegit et indulsit illis sum-
mam diuinam sublimam potestatem, *quos ligarent super*
terram ligatos esse et in caelis.

94 | **7.** Vnde ergo quaeso plurimum, *sancti et humiles*

PFCG
4, 4 mancipabunt PFC Stokes White Bieler : mancipabant G
mancipabuntur *coni.* Papebroch *fauentibus* H-&-S Bieler || est +
peccati Pv

5, 1 quapropter resciat vF H-&-S White[2] Bieler : quapropter re
sciat P   qua re propter sciat C Stokes White[1]   propter qua re
sciat G || 2 a[1] *om.* PC || me *om.* P || legatione vG[2] || 3 patricidae fra-
tricidae v   *v. notam* || 5 quam : quoniam C

6, 4 ueretur : ueneretur P || 6 sublimam FCG[ac] White[2] Bieler :
sublimem PG[pc] Stokes White[1]   *om.* v H-&-S

7, 1 plurimum : primum F

4, 4-5 Jn 8, 34.44 (V. L.)
5, 2-3 Éphés. 6, 20 | 3-4 Act. 20, 29. Ps. 13 (14), 4, etc. || 4-5
Ps. 118 (119), 126
6, 1-2 Rom. 8, 30 || 3 Act. 13, 47 || 6-7 Matth. 16, 19 ; cf. 18, 18
7, 1-2 Dan. 3, 87

1. Une traduction littérale donnerait « vendront » ou « feront
donation de la géhenne ». On pourrait penser, à la suite de White,
que Patrick a pris *mancipare* au sens de *manu capere*, « saisir »,
« gagner ». K. Mras (recension du *LEB* dans *Anzeiger für Alter-*

subiront l'esclavage de la géhenne [1] dans un châtiment éternel, car «quiconque commet le péché est esclave [2]» et reçoit «le nom de fils du diable».

5. Aussi, que tout homme craignant Dieu sache que ces gens me sont étrangers, à moi-même et au Christ mon Dieu, «pour qui je m'acquitte d'une mission», et qu'ils sont parricides, fratricides [3], «des loups avides dévorant le peuple du Seigneur comme s'ils mangeaient du pain» — ainsi qu'il est dit : «Les impies ont anéanti ta loi, Seigneur» —, ce peuple que [4], en ces temps qui sont les derniers, il avait planté en Irlande avec une grande bonté et bienveillance et qui s'était organisé par la grâce de Dieu.

6. Je n'ai pas de prétentions indues [5]. Je fais partie «de ceux que (Dieu) a appelés et prédestinés» à prêcher son Évangile «jusqu'aux extrémités de la terre» parmi des persécutions non médiocres, même si l'ennemi manifeste sa haine par l'intermédiaire de la tyrannie [6] de Coroticus, qui ne craint ni Dieu ni ses évêques, que Dieu a choisis et il leur a accordé la plus grande puissance, une puissance divine et très élevée : «ceux qu'ils lieraient sur la terre seraient également liés dans les cieux».

7. C'est pourquoi je vous le dis avec insistance, «saints

---

tumswissenschaft 8, 1955, p. 73-74) a toutefois trouvé chez SOLINUS (XX, 7) *alioquin difficile est eam* < i. e. *alcem* (l'«élan») > *mancipari* (= *capi*), ce qui pourrait justifier l'emploi de ce verbe à l'actif au sens de «saisir» ou «recevoir».

2. Pour la leçon *seruus est*, conforme au texte occidental de *Jn* 8, 34, qui omet le mot *peccati*, voir BIELER, *LEB* 1, p. 35.

3. Nous traduisons par un pluriel, mais le texte a un singulier. D'après la traduction de White, ce serait une soudaine interpellation de Coroticus lui-même, que suivrait immédiatement une citation concernant les soldats. Il est aussi possible que Patrick ait voulu utiliser les noms abstraits «parricide», «fratricide» (*patricidium, fratricidium*) et que, dans l'ignorance des formes exactes, il ait pris celles-ci à leur place.

4. Nous suivons Bieler dans l'interprétation de cette phrase.

5. Patrick sait qu'il risque d'être accusé d'outrepasser ses droits en excommuniant Coroticus et ses complices : cf. *Ep.* 1, 10, *etsi contempnor aliquibus*, et *Ep.* 12, 1-2.

6. Pour l'emploi de ce terme, voir p. 25-26.

corde, adulari talibus non licet *nec cibum* nec potum
sumere cum ipsis nec elemosinas ipsorum recipi debeat
4 donec crudeliter paenitentiam effusis lacrimis satis Deo
faciant et liberent seruos Dei et ancillas Christi baptizatas, pro quibus mortuus est et crucifixus.

8. *Dona iniquorum reprobat Altissimus. Qui offert sacri-*
ficium ex substantia pauperum quasi qui uictimat filium
in conspectu patris sui. Diuitias, inquit, *quas congregauit*
4 *iniuste euomentur de uentre eius, trahit illum angelus*
mortis, ira draconum mulcabitur, interficiet illum lingua
colubris, comedit autem eum ignis inextinguibilis. Ideoque:
95 | *Vae qui replent se quae non sunt sua,* uel: *Quid prodest*
8 *homini ut totum mundum lucretur et animae suae detri-*
mentum patiatur ?

9. Longum est per singula discutere uel insinuare, per
totam legem carpere testimonia de tali cupiditate. Aua-
ritia mortale crimen. *Non concupisces rem proximi tui.*

PFCG
2 adulari vFΔ² : adolari P ‖ 3 recipi debeat P Bieler : recipere
debere FΔ² Stokes White   debent recipi v H-&-S ‖ 4 *ante* paenitentiam + < per > Bieler ‖ paenitentiam crudeliter ∼ P ‖ 4-5
crudeliter — faciant : crudeliter effusis lacrimis paenitentiam
agentes satisfaciant deo ∼ v H-&-S White[1]
   8, 1 iniquorum : inimicorum P ‖ 2 qui *om.* Δ² ‖ 3 congregauit PF :
congregabit Δ² ‖ 4 iniustus G ‖ 5 mulcabitur P : multabitur Δ²
muctabitur F   mulctabitur v ‖ 6 colubris PF : colubri⌐G   colu-
bri v   coluri C ‖ autem *om.* vΔ²
   9, 2 capere P^ac C ‖ testimonium P

2-3 I Cor. 5, 11
   8, 1-3 Sir. 34, 23-24 (19-20) ‖ 3-6 Job 20, 15-16.26 ‖ 7 Hab. 2,
6‖ 7-9 Matth. 16, 26
   9, 3-4 Ex. 20, 13.17. Cf. Rom. 13, 9

---

1. L'emploi de *crudeliter* en ce sens est bien attesté : voir
Bieler, *LEB* 2.
2. Patrick a probablement ajouté ce chapitre, qui n'est fait que
de citations, par crainte de voir Coroticus et ses complices acheter

et humbles de cœur », il n'est pas permis de flatter de
telles gens, ni de prendre avec eux de la nourriture ou
de la boisson, ni d'en recevoir des aumônes, avant qu'ils
n'aient apaisé Dieu par une pénitence rigoureuse [1], en
versant d'abondantes larmes, et qu'ils aient libéré les
serviteurs de Dieu et les servantes baptisées du Christ,
pour qui il est mort et a été crucifié.

8 [2]. « Le Très-Haut réprouve les dons des impies. Si
quelqu'un offre un sacrifice pris sur le bien des pauvres,
c'est comme s'il immolait un fils en présence de son père. »
Il est dit : « Les richesses accumulées injustement seront
rejetées par son estomac, l'ange de la mort l'entraîne,
il sera mis à mal par la colère des dragons, la langue du
serpent le tuera, un feu inextinguible le consume. »
C'est pourquoi : « Malheur à ceux qui se gavent de ce qui
ne leur appartient pas » et : « A quoi sert-il à un homme
de gagner le monde entier et de subir la perte de sa
vie ? »

9. Il serait trop long de prendre dans toute la Loi [3] des
exemples [4] d'une pareille cupidité, de les examiner un à
un et de les expliquer. L'avidité est un péché mortel. « Tu
ne convoiteras pas ce qui appartient à ton prochain. Tu

les gens pour en obtenir reconnaissance et communion. C'est un des
passages où Patrick cite, comme Gildas, un certain nombre de
versets du Livre de *Job*, très éloignés les uns des autres dans la
plupart des manuscrits que nous connaissons, mais qui se sui-
vaient apparemment dans celui dont il disposait, qui devait pré-
senter, par conséquent, d'importantes lacunes. Son texte est ici
très proche de celui du *codex alexandrinus* (BIELER, *ACW* 17, p. 91-
92). Dans les citations de Patrick, il faut noter encore deux leçons,
déjà relevées par *LEB* 1 : en 8, 1, *reprobat* au lieu de l'usuel *non
probat* (*Sir.* 34, 23) est une leçon propre à l'Irlande ; en 8, 4-5,
trahit illum angelus mortis (*Job* 20, 15) ne se trouve ni dans l'hébreu
ni dans la Vulgate, mais dans la Septante et dans un certain nombre
de manuscrits latins, qu'on ne saurait identifier avec la *Vetus
Latina*.

3. Comme d'autres auteurs chrétiens (voir BIELER, *LEB* 2),
Patrick désigne par *lex* la Bible dans sa totalité : il vient, en effet,
de citer le *Siracide, Job, Habacuc* et *Matthieu* et il va citer *Romains*
13, 9 — qui inclut un passage d'*Exode* 20, 13.17 — et *I Jean* 3,
15.14.

4. Cf. *Conf.* 35, 1 : *longum est autem totum per singula enarrare.*

4 *Non occides.* Homicida non potest esse cum Christo. *Qui odit fratrem suum homicida* adscribitur. Vel : *Qui non diligit fratrem suum in morte manet.* Quanto magis reus est qui manus suas coinquinauit in sanguine filiorum
8 Dei, quos nuper adquisiuit in ultimis terrae per exhortationem paruitatis nostrae ?

| **10.** Numquid sine Deo uel secundum carnem Hiberione ueni ? Quis me compulit ? *Alligatus* sum *Spiritu* ut non uideam aliquem de cognatione mea. Numquid a
4 me piam misericordiam quod ago erga gentem illam qui me aliquando ceperunt et deuastauerunt seruos et ancillas domus patris mei ? Ingenuus fui secundum carnem ; decorione patre nascor. Vendidi enim nobilitatem
8 meam — non erubesco neque me paenitet — pro utilitate aliorum ; denique seruus sum in Christo genti exterae ob gloriam ineffabilem *perennis uitae quae est in Christo Iesu Domino nostro.*

11. Et si mei me non cognoscunt, *propheta in patria sua honorem non habet.* Forte non sumus *ex uno ouili* neque *unum Deum patrem* habemus, sicut ait : *Qui non*
4 *est mecum contra me est, et qui non congregat mecum spargit.* Non conuenit : *Vnus destruit, alter aedificat. Non quaero quae mea sunt.*

| Non mea gratia sed Deus *qui dedit hanc sollicitu-*
8 *dinem in corde meo* ut unus essem de *uenatoribus siue*

PFCG
4 homicida : homicidia F ǁ 5 homicida + est P ǁ 8 exhortationem vG : exortationem F   exorationem P   extationem C
10, 1 hiberione + in P ǁ 2 sum *om.* Δ² ǁ 3 non *om.* C
7 decorione FΔ² : decurione Pv
11, 1 agnoscunt P ǁ 3 neque — habemus *om.* v ǁ 4 contra — mecum² *om.* C ǁ 5 non¹ — aedificat *om.* P ǁ 7 qui dedit : qui dē FΔ²   quidem v

4-6 I Jn 3, 15.14
10, 2 Act. 20, 22 | 10-11 Rom. 6, 23
11, 1-2 Jn 4, 44 ǁ 2 Jn 10, 16 ǁ 3 Éphés. 4, 6 ǁ 3-4 Matth. 12,

ne tueras pas. » L'homicide [1] ne peut demeurer avec le
Christ. « Quiconque hait son frère est taxé d'homicide. »
Et : « Quiconque n'aime pas son frère reste dans la mort. »
Combien plus coupable encore celui qui s'est souillé les
mains du sang des fils que Dieu venait d'acquérir à l'extrémité de la terre grâce aux exhortations du peu que je
suis !

10. Est-ce sans Dieu ou selon la volonté de la chair
que je suis venu en Irlande ? Qui m'a contraint ? J'ai
été « enchaîné par l'Esprit », de sorte que je n'ai vu personne de ma parenté. Est-ce de moi-même que j'éprouve
une affectueuse compassion pour ce peuple qui m'a
jadis fait prisonnier et a massacré les serviteurs et les
servantes de la maison de mon père ? J'étais libre selon
la chair : je suis né d'un père décurion. Mais j'ai vendu
ma noblesse [2] — je n'en rougis pas et ne le regrette pas —
pour le bien d'autrui ; car, dans le Christ, je suis serviteur d'une race étrangère, en vue de la gloire ineffable
« de la vie éternelle qui est dans le Christ Jésus notre
Seigneur ».

11. Si les miens ne me reconnaissent pas, c'est que « nul
prophète n'est honoré dans sa patrie ». Est-ce que par
hasard nous ne sommes pas « du même bercail » et n'avons
pas « un même Père », Dieu, selon qu'il est dit : « Qui n'est
pas avec moi est contre moi et qui n'amasse pas avec moi
disperse ? » Cela ne va pas ensemble : « l'un détruit, l'autre
édifie. Je ne cherche pas mon propre intérêt ».

Ce n'est pas moi, mais Dieu « qui a mis ce souci en
mon cœur », afin que je sois l'un des « chasseurs ou des

30, etc. ‖ 5 Sir. 34, 28 (23) ‖ 5-6 I Cor. 13, 5 ‖ 7-8 II Cor. 8, 16 ‖ 8-
9 Jér. 16, 16 ‖

---

1. Voir p. 156.
2. Salvien dit (*De gub.* IV, 7, 32) que, pour un noble, *conuerti
ad Deum* — ce qui peut désigner l'ordination ou l'entrée au monastère — comportait la perte de la noblesse. Ici cependant Patrick
ne veut pas dire qu'il renonça à sa noblesse en recevant les saints
ordres ou en entrant au monastère, mais en s'exposant en Irlande à
l'emprisonnement et à l'insulte sans possibilité de réclamer justice.

piscatoribus quos olim Deus *in nouissimis diebus* ante praenuntiauit.

12. Inuidetur mihi. Quid faciam, Domine ? Valde despicior. Ecce oues tuae circa me laniantur atque depraedantur, et supradictis latrunculis, iubente Corotico
4 hostili mente. Longe est a caritate Dei traditor Christianorum in manus Scottorum atque Pictorum. *Lupi rapaces* deglutierunt gregem Domini, qui utique Hiberione cum summa diligentia optime crescebat, et filii
8 Scottorum et filiae regulorum monachi et uirgines Christi enumerare nequeo. Quam ob rem *iniuria iustorum non te placeat* ; etiam *usque ad inferos non placebit.*

13. Quis sanctorum non horreat iocundare uel conuiuium fruere cum talibus ? De spoliis defunctorum Christianorum repleuerunt domos suas, de rapinis
4 uiuunt. Nesciunt miseri uenenum letale cibum porrigunt ad amicos et filios suos, sicut Eua non intellexit quod utique mortem tradidit uiro suo. Sic sunt omnes qui male agunt : mortem perennem poenam operantur.

98 | **14.** Consuetudo Romanorum Gallorum Christiano-

PFCG

9 piscatoribus : peccatoribus F

12, 2 tuas P ‖ 4 hostili mente PG : hostile mente FC hoste mentem enim v ‖ 6 gregem : legem P ‖ 9 quam ob rem : qui propter v (*forte ex* quapropter V *coni.* Bieler) ‖ iniuriam v ‖ iustorum : istorum C ‖ 10 placat v ‖ placabit v

13, 1 conuiuio G² ‖ 2 furere P frui G² facere v ‖ 5 ad : et F ‖ 6 utique *om.* C ‖ 6-7 mortem — agunt *om.* Δ² ‖ 6 tradidit : dedit P ‖ 7 operaᵗtur G

14, 1 christianorum *om.* P White²

9 Act. 2, 17
12, 5-6 Act. 20, 29. Cf. Matth. 7, 15 | 9-10 Sir. 9, 17 (12)

1. Patrick veut dire que les Bretons lui reprochent son épiscopat et son influence en Irlande. Le massacre de ses convertis sur le sol irlandais n'aurait pas eu lieu si ces Bretons, chrétiens de nom, n'avaient méprisé l'autorité de Patrick.

pêcheurs » que Dieu avait jadis annoncés « pour les derniers jours ».

12. On me hait. Que faire, Seigneur ? Je suis profondément méprisé [1]. Voici qu'autour de moi tes brebis
sont déchirées et pillées par les bandits dont j'ai parlé
plus haut [2], parce que Coroticus l'a ordonné avec hostilité. Il est loin de l'amour de Dieu, lui qui livre des chrétiens aux mains des Scots et des Pictes. « Des loups
avides » ont dévoré le troupeau du Seigneur qui, en Irlande,
s'accroissait admirablement grâce à des soins très atten-
tifs : les fils de Scots et les filles de petits rois, les moines
et les vierges du Christ, je ne puis les compter [3]. « N'approuve donc pas le tort subi par les justes » ; « jusqu'aux
enfers [4] même » il ne sera pas approuvé.

13. Qui, parmi les saints [5], n'aurait horreur de parta-
ger une réjouissance ou de goûter à un repas avec de
telles gens ? Ils ont rempli leurs maisons des dépouilles
des chrétiens morts, ils vivent de rapines. Ils ignorent,
les malheureux, le poison mortel qu'ils offrent en nourriture à leurs amis et à leurs fils, de même qu'Ève ne
comprit pas que c'était la mort qu'elle donnait à son
époux. Tels sont tous ceux qui font le mal : ils se pré-
parent comme châtiment la mort éternelle.

14. Les Gallo-Romains chrétiens [6] ont une coutume :

2. Voir *Conf.* 29, 1-2 et note.
3. Des expressions analogues se retrouvent en *Conf.* 41, 4-5 ; 42,
10-11 et *Ep.* 16, 3. Voir, sur le monachisme irlandais au temps de
Patrick, p. 165-168.
4. « Jusqu'aux enfers » signifie peut-être « nulle part sur terre ».
C'est une citation du *Siracide* 9, 17 (12) que la Septante rend par
μὴ εὐδοκήσῃς ἐν εὐδοκίᾳ ἀσεβῶν · μνήσθητι ὅτι ἕως ᾅδου μὴ δικαιωθῶσιν,
ce que la Bible de Jérusalem traduit : « Ne te félicite pas de la
réussite des impies ; souviens-toi qu'ici-bas (littéralement : « jusqu'au shéol ») ils ne resteront pas impunis. » La Vulgate l'a
traduit : *non placeat tibi iniuria iustorum sciens quoniam usque ad
inferos non placebit impius.* Patrick, ou la version dont il s'inspire, a supprimé *impius* et fait de *iniuria* le sujet des deux propositions, ce qui modifie profondément le sens de ce verset.
5. C'est-à-dire les chrétiens de toutes sortes : voir p. 167 et 169.
6. Cette expression forme contraste avec la « nation étrangère
qui ignore Dieu » des lignes 4-5. Voir p. 22 et 31.

Saint Patrick.   10

rum : mittunt uiros sanctos idoneos ad Francos et cete-
ras gentes cum tot milia solidorum ad redimendos cap-
4 tiuos baptizatos. Tu potius interficis et uendis illos genti
exterae ignoranti Deum ; quasi in lupanar tradis *membra
Christi.* Qualem spem habes in Deum, uel qui te consentit
aut qui te communicat uerbis adulationis ? Deus iudi-
8 cabit. Scriptum est enim : *Non solum facientes mala sed
etiam consentientes damnandi sunt.*

15. Nescio *quid dicam* uel *quid loquar* amplius de
defunctis filiorum Dei, quos gladius supra modum dure
tetigit. Scriptum est enim : *Flete cum flentibus,* et iterum :
4 *Si dolet unum membrum condoleant omnia membra.* Quapropter ecclesia *plorat et plangit filios* et filias *suas* quas
adhuc gladius nondum interfecit, sed prolongati et
exportati in longa terrarum, ubi peccatum manifeste
8 grauiter impudenter habundat, ibi uenundati ingenui
99 | homines, Christiani in seruitute redacti sunt, praeser-
tim indignissimorum pessimorum apostatarumque Pictorum.

16. Idcirco cum tristitia et maerore uociferabo : O spe-
ciosissimi atque amantissimi fratres et filii *quos in Christo*

PFCG – PVFCG
4 baptizatos : baptizat FΔ^2 ‖ potius : totius FC   toties G^2 ‖
5 ignorante P ‖ 6 consensit P ‖ 8 facientes : fatientibus P
15, 5 ploret F ‖ planget FΔ^2 ‖ 6 interficit P ‖ 7 (exporta)ti *resumit* V ‖ in : per V ‖ terrarum + spatia V ‖ 8 grauetur VFΔ^2 ‖
habundat PΔ^2 : abundat VF ‖ 10 pessimorum apostatarumque
(apostatorumque P) PFΔ^2 Stokes White Bieler : pessimorumque
atque apostatarum V H-&-S   pessimorum atque apostatarumque
coni. Bieler
16, 1 uociferabo PVFC Stokes White Bieler : uociferabor G^2
H-&-S ‖ speciosissime C ‖ 2 quos *om.* P

14, 5-6 I Cor 6, 15 ‖ 8-9 Rom. 1, 32
15, 1 Jn 12, 49 ‖ 3 Rom. 12, 15 ‖ 4 I Cor 12, 26 ‖ 5 Matth. 2, 18.
Cf. Jér. 31, 15

---

1. Ici plutôt des clercs ou des ecclésiastiques, mais pas forcément des moines. Voir p. 167.

ils envoient aux Francs et autres nations des hommes
saints [1] et qualifiés avec plusieurs milliers de *solidi* [2]
pour racheter les captifs baptisés. Toi, tu préfères les
tuer et les vendre à une nation étrangère qui ignore
Dieu [3] ; c'est comme si tu livrais « les membres du Christ »
dans un mauvais lieu [4]. Quel espoir as-tu en Dieu ? Qui
t'approuve ou qui te fréquente avec des paroles flat-
teuses ? Dieu jugera. Il est écrit, en effet : « Ce ne sont
pas seulement ceux qui font le mal mais aussi ceux qui
l'approuvent qui seront condamnés. »

15. Je ne sais « que déclarer » et « que dire » de plus au
sujet de ceux des fils de Dieu qui sont morts, trop dure-
ment frappés par le glaive. Il est écrit, en effet : « Pleu-
rez avec ceux qui pleurent » ; et encore : « Si l'un des
membres souffre, que tous les membres souffrent avec
lui. » Aussi l'Église « gémit-elle et se lamente-t-elle sur
ses fils » et ses filles que le glaive n'a pas encore tués,
mais qui ont été ajournés et transférés dans des terres
éloignées où le péché grave surabonde effrontément en
plein jour : c'est là que des hommes libres [5] ont été vendus, des chrétiens réduits en esclavage, et notamment
chez les plus indignes et les pires des hommes, les Pictes
apostats.

16. C'est pourquoi je crierai avec tristesse et affliction :
Frères très beaux et très aimés, fils « que j'ai engendrés

2. Le *solidus* est une pièce d'or qui fut frappée pour la première
fois sous Constantin, qui en fit le soixante-douzième de la livre.
Pendant de nombreux siècles il resta la monnaie standard de
l'Empire romain, la pièce d'or dont la valeur demeurait stable,
malgré les importantes fluctuations des cours de l'argent et du
cuivre. Les chefs barbares demandaient avec instance à être payés
en *solidi*, parce que c'était une monnaie sûre. Il serait cependant
fort difficile d'évaluer la valeur actuelle d'un *solidus* du temps de
Patrick : déjà un seul millier de *solidi* représenterait en tout cas
une très forte somme.

3. D'après P. Grosjean (*AB* 76, p. 375), il s'agirait de Pictes
restés païens — contrairement aux « Pictes apostats » déjà mentionnés ; d'après M. Kerlouégan, d'Irlandais restés païens.

4. C'est probablement une allusion au sort des captives.

5. Probablement des Irlandais.

genui enumerare nequeo, quid faciam uobis ? Non sum
4 dignus Deo neque hominibus subuenire. *Praeualuit ini-*
quitas iniquorum super nos. Quasi *extranei facti sumus.*
Forte non credunt *unum baptismum* percepimus uel
unum Deum patrem habemus. Indignum est illis Hibe-
8 rionaci sumus. Sicut ait : *Nonne unum Deum habetis ?*
Quid dereliquistis unusquisque proximum suum ?

17. Idcirco doleo pro uobis, doleo, carissimi mihi ; sed
iterum gaudeo intra meipsum : non gratis *laboraui* uel
peregrinatio mea in *uacuum* non fuit. Et contigit scelus
100 4 tam horrendum | ineffabile, Deo gratias, creduli bapti-
zati, de saeculo recessistis ad paradisum. Cerno uos :
migrare coepistis ubi *nox non erit neque luctus neque*

PVFCG
3 enumerari P ‖ 4 deo *om.* V ‖ 5 iniquorum : inimicorum P ‖
6 percepimus V H-&-S White Bieler : percipimus PFΔ² Stokes ‖
7 illis + quod V ‖ Hiberionaci *coni.* Bieler : hiberia (hyberia V de
Hibernia *coni.* Papebroch H-&-S) nati Φ (-R) Stokes White   Hiberione nati *coni.* O'Raifeartaigh   *v. notam*
17, 2 *ante* non + quia V ‖ non *om.* F ‖ 4 horridum V ‖ ineffabilem F ‖ 5 saeculo PVΔ² : caelo F

16, 2-3 I Cor. 4, 15, etc. ‖ 4-5 Ps. 64, 4 (65, 3) ‖ 5 Ps. 68, 9 (69, 8) ‖
6-7 Éphés. 4, 5.6 ‖ 8-9 Mal. 2, 10
17, 2-3 Phil. 2, 16 ‖ 6-7 Apoc. 22, 5 ; 21, 4

---

1. Dans ce chapitre, Patrick ne s'adresse ni aux chrétiens massacrés récemment ni aux captifs emmenés dans un pays lointain —
il serait absurde de les dire innombrables et de mauvais goût de
les dire « très beaux » —, mais à tous ceux qu'il a convertis. Il se
plaint de ne pouvoir les protéger contre la férocité de leurs frères
chrétiens, les soldats de Coroticus, qui méprisent Patrick et ré-
duisent son autorité à néant.
2. La difficulté d'imaginer Patrick se disant né en Irlande et
l'emploi, si peu vraisemblable chez lui, du terme de *Hiberia* rendent
la leçon des manuscrits inadmissible (voir app. et p. 29-51). Nous
admettons donc la correction de Bieler, quoique O'RAIFEARTAIGH
l'ait vivement combattue (« The Life of St. Patrick, a new Approach », *Irish Historical Studies*, XVI, 1968, p. 119-137) et préfère
lire *Hiberione nati*, qu'il interprète, à la suite de J.-H. TODD
(*St. Patrick, Apostle of Ireland*, Dublin 1864, p. 358-360), comme

dans le Christ [1]» et que je ne peux pas compter, que
ferai-je pour vous ? Je ne suis digne de soutenir ni la
cause de Dieu ni celle des hommes. « L'impiété des impies
a été plus forte que nous. » « Nous avons été traités »
comme « des étrangers ». Peut-être ne croient-ils pas que
nous avons reçu « un seul baptême » ou que nous n'avons
qu'un « Père, Dieu ». Pour eux, c'est indigne : nous
sommes des Irlandais [2]. Comme il est dit : « N'avez-vous
pas un seul Dieu ? Pourquoi chacun de vous a-t-il abandonné son prochain ? »

17. C'est pourquoi je suis dans l'affliction à cause de
vous, oui, je suis dans l'affliction, mes bien-aimés [3]; mais,
d'autre part, je suis dans la joie de mon cœur ; ce n'est
pas pour rien que « j'ai peiné » et mon pèlerinage n'a pas
été «vain». Ainsi ce crime si odieux, indicible, a eu lieu ;
grâces à Dieu, fidèles baptisés, vous avez quitté le monde
pour le paradis [4]. Je vous aperçois : vous avez commencé
à aller [5] là où « il n'y aura plus ni nuit, ni deuil, ni mort,

si brusquement, après avoir parlé en son propre nom, Patrick
faisait parler les victimes de Coroticus. Mais comment peut-il
affirmer que Patrick n'a pas connu d'attitudes nationalistes, alors
que la *Confession* manifeste, à plusieurs reprises, la tendance des
Bretons à mépriser les Irlandais ? Voir p. 22.

3. Dans ce chapitre-ci Patrick change de destinataires : il
s'adresse maintenant aux convertis martyrs.

4. Le second des *Dicta Patricii* (voir p. 7) reproduit cette
phrase de la manière suivante : *de saeculo requissistis ad paradisum.
Deo gratias.* On lit également, dans une épitaphe en mosaïque du
v[e] ou du vi[e] siècle trouvée à Hippone : *Die III Idus Septembres
recessit Ergmengon Suaba bon<a>e memoriae* (E. MAREC, *Monu-
ments chrétiens d'Hippone*, Paris 1958, p. 62), avec le même sens
qu'ici, « quitté cette vie ».

5. Cela pourrait signifier, tout comme le futur *regnabitis* d'*Ep.*
18, 1, que, pour Patrick, ces âmes n'ont pas encore atteint le ciel,
qu'elles sont en route vers lui et assurées de leur rachat au jugement dernier. Ce ne serait pas précisément une doctrine du purga-
toire — quoiqu'il ne soit pas impossible qu'un évêque du ve siècle
ait admis une telle doctrine ; ce serait plutôt à rapprocher de l'opinion si répandue dans l'Église depuis l'époque de Tertullien : en
quittant cette vie, les âmes seraient retenues dans une sorte de
salle d'attente eschatologique, où elles attendraient leur sort défi-
nitif (ciel ou enfer), qui aurait déjà été fixé, mais qu'elles ne rece-
vraient en partage qu'au jugement dernier.

mors amplius, sed exultabitis sicut uituli ex uinculis reso-
8 *luti et conculcabitis iniquos et erunt cinis sub pedibus*
uestris.

18. Vos ergo regnabitis cum apostolis et prophetis
atque martyribus. Aeterna regna capietis, sicut ipse
testatur inquit : *Venient ab oriente et occidente et recum-*
4 *bent cum Abraham et Isaac et Iacob in regno caelorum.*
Foris canes et ueneficos et homicidae, et : *Mendacibus*
periuris pars eorum in stagnum ignis aeterni. Non inmerito
101   ait | apostolus : *Vbi iustus uix saluus erit, peccator et*
8 *impius transgressor legis ubi se recognoscit ?*

19. Vnde enim Coroticus cum suis sceleratissimis,
rebellatores Christi, ubi se uidebunt, qui mulierculas
baptizatas praemia distribuunt ob miserum regnum
4 temporale, quod utique in momento transeat ? *Sicut*
nubes uel fumus, qui utique uento dispergitur, ita *pecca-*
tores fraudulenti *a facie Domini peribunt ; iusti autem*
epulentur in magna constantia cum Christo, *iudicabunt*
8 *nationes et* regibus iniquis *dominabuntur in saecula sae-*
culorum. Amen.

20. *Testificor coram Deo et angelis suis* quod ita erit
sicut intimauit imperitiae meae. Non mea uerba sed Dei

18, 2 *ante* aeterna + et V ‖ 3 inquit PFΔ² White² Bieler : inquiens
V H-&-S Stokes White¹ ‖ 5 ueneficos PFΔ² : uenefici VG² ‖ homi-
cidie F ‖ mendaces VG² ‖ 6 periuri G²   et periuri V ‖ inmerito PG²
White² Bieler (*coniecerat* Stokes) : merito FΔ² White¹   enim in
uanum V H-&-S ‖ 8 recognoscet V edd.

19, 2 rebellatoribus VG² ‖ qui VG² : quas P   quam FC   *forte*
quia ‖ 3 praemia : et praedia orphanorum spurcissimis satellitibus
suis V ‖ distribuunt G² : distribuuntur Φ (-R) ‖ miserum G² :
misere PV   miserere C   miscere F ‖ 4 transit V

20, 2 intimabit F   intimauerunt G² ‖ uerba + sunt ista V

7-9 Mal. 4, 2-3 (3, 20-21)
18, 3-4 Matth. 8, 11 ‖ 5 Apoc. 22, 15 ‖ 5-6 Apoc. 21, 8 ‖ 7-8
I Pierre 4, 18

et vous bondirez de joie comme des veaux libérés de leurs entraves ; vous piétinerez les impies et ils seront comme de la cendre sous vos pieds ».

18. Vous donc, vous régnerez avec les apôtres, les prophètes et les martyrs [1]. Vous recevrez le royaume éternel, comme il l'atteste lui-même en disant : « Ils viendront de l'Orient et de l'Occident et se mettront à table avec Abraham, Isaac et Jacob dans le royaume des cieux. Dehors les chiens, les empoisonneurs et les homicides », et : « Quant aux menteurs, aux parjures, leur part est dans l'étang du feu éternel. » Ce n'est pas sans motif que l'Apôtre dit : « Là où le juste pourra à peine être sauvé, le pécheur et l'impie qui transgresse la loi où se trouve-t-il ? »

19. Coroticus donc et ses infâmes scélérats, ces rebelles contre le Christ, où se verront-ils, eux qui distribuent de jeunes femmes baptisées comme prix [2] d'un misérable royaume temporel, qui doit passer en un instant ? « Comme le nuage ou la fumée que le vent dissipe », ainsi « les pécheurs » fourbes périront, rejetés loin de la face de Dieu ; quant aux justes, c'est dans une grande confiance qu'ils prendront leur repas « en compagnie du Christ » ; ils jugeront les nations « et sur les rois impies » ils régneront « aux siècles des siècles. Amen. »

20. « J'atteste devant Dieu et devant ses anges » qu'il en sera ainsi qu'il l'a fait comprendre à l'ignorant que je suis. Ce ne sont pas mes paroles que j'ai présentées

---

19, 4-5 Sag. 5, 15 (14) ‖ 5-6 Ps. 67 (68), 2-3 ‖ 6-7 Sag. 5, 1 ‖ 7-8 Sag. 3, 8
20, 1 Cf. II Tim. 4, 1. I Tim. 5, 21

---

1. On a relevé ici une similitude avec le *Te Deum* et avec le *De mortalitate* (26) de CYPRIEN. Il n'est pas sûr que Patrick ait subi l'influence de Cyprien ou celle de l'auteur du *Te Deum*, quoique, d'après BIELER (*LEB* 2), la plupart des manuscrits où se trouve cet hymne soient d'origine irlandaise et le plus ancien d'entre eux dans l'*Antiphonaire de Bangor* (680-691).
2. Voir, dans l'apparat, la curieuse addition de V.

et apostolorum atque prophetarum quod ego latinum
4 exposui, qui numquam enim mentiti sunt. *Qui crediderit*
saluus erit, qui uero non crediderit condempnabitur. Deus
locutus est.

102 | **21.** Quaeso plurimum ut quicumque famulus Dei
promptus fuerit ut sit gerulus litterarum harum, ut
nequaquam subtrahatur uel abscondatur a nemine, sed
4 magis potius legatur coram cunctis plebibus et prae-
sente ipso Corotico. Quod si Deus inspirat illos ut quan-
doque Deo resipiscant, ita ut uel sero paeniteant quod
tam impie gesserunt — homicida erga fratres Domini —
8 et liberent captiuas baptizatas quas ante ceperunt, ita ut
mererentur Deo uiuere et sani efficiantur hic et in aeternum ! Pax Patri et Filio et Spiritui Sancto. Amen.

3 quod : quae V ‖ 3-4 latinum exposui : in latinum transtuli V ‖
5 salui erunt V
21, 1 dei + ut FΔ² ‖ 3 uel abscondatur P : *om.* VFΔ² ‖ 4 prae-
sente : praesertim *coni.* Grosjean   *v. notam* ‖ 5 quod si : quid sit
P ‖ 6 ut *om.* F ‖ paeniteant PVFG² : paeniteat C ‖ 7 homicidae
(-ae *in ras.*) G ‖ domini + fuerunt sed paeniteant V ‖ 8 et *om.* G
(*sed spatium exstat post* domini) ‖ quas : quos Δ² ‖ ita *om.* P ‖ 9
mererentur FΔ² Stokes White¹ : mereantur PVG² H-&-S White²
Bieler ‖ 10 spiritu (*ut uidetur*) PF ‖ *post* amen + EXPLICIT
PASS̄ G

4-5 Mc 16, 15-16

1. Patrick jette ses citations à la tête de ceux qu'il réprimande.
L'idée de toute la phrase semble être que ces paroles ont été prononcées par les apôtres, les prophètes et Dieu lui-même. De fait,
les paroles citées sont des paroles du Christ (*Mc* 16, 15-16) et, si
l'on tient compte des mots *Deus locutus est*, de David au *Psaume*
59 (60), 8 ou 107 (108), 8. Mais Patrick fait plutôt allusion aux
nombreuses citations de toute son *Épître* et les mots *Deus locutus*
est ne sont pas une citation mais un commentaire des versets qu'il
vient d'emprunter à l'évangile de Marc.

en latin, mais celles de Dieu, des apôtres et des prophètes qui n'ont jamais menti [1]. « Quiconque croira sera sauvé, mais qui ne croira pas sera condamné. » Dieu a parlé.

21. Je demande avec insistance — quel que soit le serviteur de Dieu disposé à se faire le porteur [2] de cette lettre — que sous aucun prétexte elle ne soit supprimée ou cachée [3] par qui que ce soit, mais qu'elle soit plutôt lue devant tous les peuples [4] et en présence de Coroticus lui-même. Si seulement, sous l'inspiration divine, ils reviennent un jour à Dieu pour se repentir, même tard, de leurs actions si impies — des homicides perpétrés contre les frères du Seigneur — et libérer les captives baptisées [5] qu'ils ont auparavant faites prisonnières, de sorte qu'ils méritent de vivre pour Dieu et qu'ils soient guéris ici-bas et dans l'éternité ! La paix appartient au Père et au Fils et à l'Esprit-Saint [6]. Amen.

---

2. *Gerulus litterarum* est, comme BIELER l'a montré (*LEB* 2), une expression courante dans le latin des ve et vi[e] siècles. Il note également que c'est le seul passage où Patrick utilise *litterae* à la place d'*epistula* et que, même là, il met au singulier le verbe qui s'y rapporte.

3. Bieler rapproche cette expression de *Conf.* 8, 2-3 : *ubi nemo se poterit subtrahere uel abscondere.*

4. Patrick fait peut-être allusion aux différentes tribus gouvernées par Coroticus. Voir P. GROSJEAN, « Les Pictes apostats », *AB* 76, 1958, p. 367, note 2, et p. 369.

5. Patrick paraît particulièrement inquiet du sort des captives, probablement parce que leur chasteté était menacée ; cf. *Ep.* 14, 5.

6. *Pax Patri et Filio et Spiritui Sancto* est une curieuse formule de bénédiction finale. Patrick s'est apparemment senti obligé de terminer de cette étrange manière. Il ne peut souhaiter *pax* aux destinataires de sa lettre qu'il vient d'excommunier et avec qui il n'est pas en paix. Mais il lui faut, pour terminer, quelque chose qui ressemble à la formule conventionnelle. Le résultat est ce que BIELER appelle (*LEB* 2) une contamination entre *pax uobiscum* et *pax in Patre et Filio et Spiritu Sancto*, sans qu'une bénédiction soit pour autant accordée aux destinataires de la lettre. Il est assez caractéristique que la lettre se termine par une confusion grammaticale. Pour la ressemblance avec la fin de la *Confession*, voir note sur *Conf.* 60.

Le latin de Patrick

(Ces remarques ne sont pas exhaustives ; il conviendrait de leur adjoindre une partie des notes de la traduction)

Aucun latiniste moderne ne peut lire les ouvrages de Patrick dans leur texte original sans être frappé par l'étrangeté de son latin, de celui, du moins, que nous livrent les manuscrits les moins suspects (voir introd., p. 56-62), ce latin qui, comme Bieler l'a relevé le premier (*LEB* 2), porte de nombreux traits du latin vulgaire.

Nous avons relevé des confusions phonétiques :

— entre *b* et *u* (*imberbis*/*inuerbis* : *Conf.* 10, 7); voir C. Mohrmann, *Études sur le latin des chrétiens*, Rome 1961-1965, t. I, p. 411-413 ;
— entre *f* et *u* (*focluti*/*uocluti* : *Conf.* 23, 11) ; voir E. Mac-Neill, « Silva Focluti » et « The Native Place of St. Patrick », dans *PRIA* C 36, 1923, p. 249-255, et C 37, 1926, p. 118-140 ;
— la présence ou l'absence du *h* (*abunde*/*habunde* : *Conf.* 4, 15 ; *abundat*/*habundat* : *Conf.* 19, 11 ; *Ep.* 15, 8 ; *abundanter*/*habundanter* : *Conf.* 19, 18).

Nous avons aussi rencontré un vocabulaire particulier. Ainsi :

— *locus*, au sens d'« occasion » (*Conf.* 46, 3 : Bieler signale, *LEB* 2, des parallèles dans la Bible latine, chez Tertullien, Lucifer de Cagliari, Cassien) ;
— *rescire* pour *scire* (*Ep.* 5, 1 : *LEB* 2 indique des parallèles en latin tardif et dans la Vulgate) ;
— *infidelis*, « indigne de confiance » (*Conf.* 49, 8) ;
— *incredulus*, « non croyant » (*Conf.* 37, 7 ; 49, 10) ; cf. *incredulitas* (*Conf.* 2, 1 ; 27, 8) ; voir *LEB* 2 ;

— *apostata*, « scélérat » (*Ep.* 2, 6 ; 15, 10 : voir note *ad loc.*) ;

— *parentes* peut désigner les « anciens » d'un monastère (Cassien, *Conf.* XXIV, 1.2.7.8.9.12), mais n'a jamais ce sens chez Patrick, qui l'emploie au sens de « famille » (*Conf.* 23, 2 ; 42, 9) et l'associe volontiers à *patria* (*Conf.* 36, 4 ; 43, 3 ; *Ep.* 1, 8). Dans l'un des textes, il peut aussi être pris au sens de « monastère apparenté » (*Conf.* 43, 3) ;

— *proselitus* peut signifier « étranger » (*Conf.* 26, 5 ; *Ep.* 1, 4) ou « nouveau converti » (*Conf.* 59, 3 ?) ;

— *hospitare*, « demeurer » (*Conf.* 18, 6) est un mot rare et propre au latin vulgaire ;

— *rebellator* (*Ep.* 19, 2) est très rare, quoique l'on trouve *rebellatrix* chez Cassien ;

— *hostili mente*, « avec hostilité » (*Ep.* 12, 4), est comme une anticipation de la forme que prendront plus tard les adverbes des langues romanes ;

— *tegoriolum* (*Conf.* 18, 6) ; *LEB* 2 cite huit textes où cette forme remplace la forme usuelle *tuguriolum* ; ils proviennent tous, sauf un, de sources latines irlandaises ;

— *iturus*, « tu vas aller » (*Conf.* 17, 2) : on ne trouve pas, chez Patrick, de forme conjuguée du verbe *ire* ; il n'utilise pas non plus *uadere*, mot pourtant usuel en latin vulgaire ;

— *profuga*, « fugitif » ou « exilé » (*Conf.* 12, 1 ; *Ep.* 1, 4) résulte sans doute d'une confusion entre *perfuga* et *profugus* ;

— *éffitiari* (*Conf.* 24, 3 ; 25, 6) aurait été forgé par Patrick sur le modèle de *infitior* (voir *LEB* 2) ; le latin connaît, en outre, *effatus sum*, de l'inusité *effor*, et *infiteor* (= nier) ;

— *patricida* et *fratricida*, peut-être employés à tort pour *patricidium*, *fratricidium* (*Ep.* 5, 3) ;

— *homicida*, employé à bon escient en *Ep.* 9, 4, désigne, en *Ep.* 21, 7, le « meurtre » et non le « meurtrier » ;

— *reprehensio* (*Conf.* 14, 2), mis pour *apprehensio* ;

— *adductus* (*Conf.* 1, 7), mis pour *abductus* ;

— *reppuli* (*Conf.* 18, 12), employé à la place de *recusaui* ;

— *uillula* pour *uilla* (*Conf.* 1, 5) : comme en latin vulgaire, le diminutif a perdu toute valeur : voir introd., p. 26 ;

— *audierit* (*Conf.* 34, 12), peut-être mis pour *adiuuerit* ;

— *iterum* (*Conf.* 21, 1 ; 23, 1 ; voir O'Raifeartaigh, « St. Patrick's Twenty-eight Days' Journey », p. 408) n'a pas le sens de « une seconde fois » ou de « une fois de plus », mais celui de « et de la même manière » ou de « ou, d'autre part » ; pour « une seconde fois », Patrick emploie *adhuc* ;

— *capturam dedi* (*Conf.* 1, 5 ; 10, 7 ; 21, 1) au sens de

« je fus fait prisonnier », sans doute par analogie avec l'expression *poenas dare*.

Nous n'avons relevé que peu de particularités de déclinaison :

— *sublimam* (*Ep.* 6, 6) ;
— le génitif pluriel *Hiberionacum* (*Conf.* 23, 8), qu'on retrouve dans le *Liber angeli* (*LA*, fol. 21ʳ), et qu'il faut peut-être rattacher à un nominatif *Hiberionaci* (*Ep.* 16, 7).
Patrick emploie des superlatifs irréguliers :
— *contemplibilissimus* (*Conf.* 1, 2) ;
— *miserissime* (*Conf.* 59, 5).
Le comparatif
— *magis* est mis pour *potius* (*Conf.* 9, 6), selon l'usage tardif (*LEB* 2).

Les démonstratifs, très nombreux (voir index), sont utilisés, comme en latin vulgaire, sans distinction (voir Bieler, *LEB* 2, et C. Mohrmann, *The Latin of St. Patrick*, p. 19) :

— *huius* (*Conf.* 4, 4) ;
— *ipsa* (*Conf.* 42, 5) ;
— *ipsorum* (*Conf.* 23, 10).

Conjonctions et adverbes marquent aussi un emploi particulier :

— *enim* (*Conf.* 10, 11 ; 11, 5) devenu une simple particule affirmative ;
— *scilicet*, qui peut avoir (en *Conf.* 4, 5) le sens de « bien sûr », n'est utilisé ailleurs (*Conf.* 12, 1.5 ; 17, 1 ; 23, 5 ; 62, 3 ; *Ep.* 1, 1) que comme une particule affirmative, devant parfois attirer l'attention sur le mot qui précède ;
— *atque* est fréquent chez Patrick — quatorze fois en tout — contrairement à l'usage du latin tardif, où, d'après V. Väänänen (*Introduction au latin vulgaire*, Paris 1967, p. 170-171), il aurait tendance à se spécialiser dans des combinaisons fixes.

La négation peut se répéter selon l'usage tardif :
— *non contingat... ut numquam* (*Conf.* 58, 1-2).

Vnde est utilisé treize fois au sens de « c'est pourquoi » (*Conf.* 3, 1 ; 8, 1 ; 10, 9 ; 12, 1 ; 13, 1 ; 31, 1 ; 34, 1 ; 40, 5 ;

41, 1 ; 43, 1 ; 46, 1 ; *Ep.* 7, 1 ; 19, 1), cinq fois au sens de
« d'où » (*Conf.* 20, 4 ; 32, 8 ; 36, 1.3 ; 61, 5), une fois au sens
de « comment » (*Conf.* 57, 1) ; d'après Bieler, *habere unde*
signifierait, en *Conf.* 18, 2, « avoir les moyens », « pouvoir se
payer », ce qui n'est pas impossible, car ce sens est attesté
(*LEB* 2 ; *St. Patrick and the Coming of Christianity*, p. 54 ;
voir aussi J. Carney, *The Problem of Saint Patrick*, p. 60 ;
C. Mohrmann, *Études sur le latin des chrétiens*, t. I, p. 433 ;
II, p. 331).

La conjugaison présente, chez Patrick, un certain nombre
de particularités :

— l'emploi de l'actif à la place du déponent : *cooperasti*
(*Conf.* 34, 7) ; *exhortarent* (*Conf.* 40, 8) ; *adgredere* (*Conf.* 34,
14) et *fruere* (*Ep.* 13, 2) à l'infinitif ; *uociferabo* (*Ep.* 16, 1) ;
si certaines de ces formes ne sont pas connues ailleurs, le
même processus est attesté pour d'autres déponents ;
— le présent est mis pour le parfait : *nascor* (*Ep.* 10, 7) ;
— le plus-que-parfait pour l'imparfait : *debueram* (*Conf.* 8,
1 ; cf. Bieler, *LEB* 2) ;
— l'indicatif remplace un subjonctif : *rogamus ut ambulas*
(*Conf.* 23, 12-13), ce qui, d'après GROSJEAN (« A propos du
manuscrit 49 de la reine Christine », *AB* 54, 1936, p. 122-123),
serait peut-être un celticisme ;
— un subjonctif est mis, au contraire, pour un indicatif :
miserum regnum quod transeat (*Ep.* 19, 3-4) ; Bieler en a
trouvé des exemples en latin tardif (*LEB* 2) ;
— l'emploi impersonnel de *debet* (ou *debeat*) : *Ep.* 7, 3.

La construction des verbes et des propositions est plus
frappante encore :

— des verbes intransitifs devenus transitifs : *conuiuium
fruere* (*Ep.* 13, 1-2) ; *legationem fungor* (*Conf.* 56, 2, qui
cite *Éphés.* 6, 20, Vulg. *legatione fungor*) : cet emploi de
fungor suivi de l'accusatif est conforme au latin tardif ;
— des verbes transitifs devenus intransitifs : *addiderunt*
(*Conf.* 9, 6 ; cf. *Osée* 13, 2 Vulg.) ; *iocundare* (*Ep.* 13, 1), ce
qui est exceptionnel ;
— des constructions isolées, telles que :
te communicat (*Ep.* 14, 7), au sens de « s'entretenir avec »,
« fréquenter », selon une forme fréquente dans la *VL* et dans
la Vulg. ;

peto illi (*Conf.* 59, 2), dont Bieler a trouvé des parallèles en latin tardif ;

peruenimus homines (*Conf.* 22, 4), qu'on pourrait peut-être expliquer en disant que Patrick pensait à des « habitations humaines » plus qu'à des hommes ; car, si le latin met parfois à l'accusatif sans préposition les noms communs désignant des lieux (voir J. B. Hofmann - A. Szantyr, *Lateinische Grammatik*, t. II, Munich 1965, p. 43), nous n'avons pas trouvé d'exemple de verbe de mouvement ayant pour objet un nom de personne à l'accusatif sans préposition ;

reppuli sugere (*Conf.* 18, 12), peut-être par confusion avec un autre verbe ;

cum + accusatif (*Conf.* 1, 8 : *cum tot milia*), ce qui est courant en latin tardif ;

usque dum + indicatif (*Conf.* 19, 10-11 : *usque dum satiamini*) : bien que rare, cette construction se retrouve dans la *V. L.* (*Apoc.* 2, 25 ; *IV Esdras* 2, 23) ;

quem credimus et expectamus aduentum ipsius (*Conf.* 4, 12-13) : Bieler l'explique (*LEB* 2) comme une « contamination syntaxique » ; des exemples de cette construction sont cités par V. Väänänen (*Introduction au latin vulgaire*, Paris 1967, p. 159), qui l'appelle un « complément d'apposition ».

Il semble parfois que Patrick ait terminé sa phrase après en avoir oublié le début, ce qui pourrait impliquer qu'il a dicté la *Confession* et l'*Épître* :

— *fratres et filii quos genui enumerare nequeo* (*Ep.* 16, 2-3) ;

— *filii Scottorum et filiae regulorum enumerare nequeo* (*Ep.* 12, 7-9) ;

— *si mihi hoc incurrisset lucratus sum* (*Conf.* 59, 7) ;

— *sermo et loquela nostra translata est sicut potest probari qualiter ego sum instructus* (*Conf.* 9, 6-9) ;

— *opto fratribus ut possint* (*Conf.* 6, 1-2).

Il manque parfois un subordonnant :

— *nesciunt... ueuenum porrigunt* (*Ep.* 13, 4) ;
— *non credunt unum baptismum percepimus* (*Ep.* 16, 6) ;
— *indignum est illis Hiberionaci sumus* (*Ep.* 16, 7-8) ;

ou une principale :

   — *quod si Deus inspirat... ut resipiscant... ita ut... paeni-*
teant... et liberent... ita ut mereantur... et sani efficiantur (*Ep.*
21, 5-9) : Bieler considère *quod si* comme pure transition ; il
est aussi possible que Patrick n'ait jamais terminé sa phrase.

On trouve enfin chez Patrick, comme souvent en latin
vulgaire,
des périphrases :

   — *iniuriam facere* (*Conf.* 35, 6), au sens d'« ennuyer » ;
   — *notum habebam* (*Conf.* 17, 6-7) pour *cognoui* ;
   — *de hominibus* (*Conf.* 17, 7) pour *hominum* ;

et des redondances ;

   — *utraque pari modo* (*Conf.* 9, 4) ;
   — *deinde postmodum* (*Conf.* 17, 7) ;
   — *ammonet et docet dicens* (*Conf.* 40, 9-10) ;
   — *non sapiebat illis intellegi* (*Conf.* 46, 12-13).
   — *testatur inquit* (*Ep.* 18, 3 : *inquit* serait-il un terme
conventionnel, destiné à introduire toute citation scripturaire ?).

On voit combien ce latin est maladroit et insuffisant :
Patrick n'arrive pas toujours à exprimer ce qu'il semble
vouloir dire ; ses constructions ne sont pas seulement péri-
phrastiques d'une manière typique au latin vulgaire, elles
échappent à toute règle. La syntaxe s'effondre ; la pensée
se perd dans un fouillis de mots mal traités. Parfois même
(*Ep.* 5, par exemple) le langage est si confus qu'il est à
peine possible de tenter une traduction, tant Patrick prend
de libertés avec la morphologie et la syntaxe. Aussi est-il
bien impossible d'imaginer, à la suite de Bieler (*LEB* 2),
que Patrick ait pu chercher à imiter, en *Conf.* 10, 10-11, la
maladresse du style de ses censeurs !
Les quelques philologues qui ont étudié attentivement
le latin de Patrick ont remarqué que le latin vulgaire y tient
une large place : pour L. Bieler, K. Jackson et C. Mohrmann,
voir bibliographie ; cf. aussi D. Greene, « Some Linguistic
Evidence relating to the British Church », dans *Christianity
in Britain* 300-700, éd. M. Barley et R. P. C. Hanson, Leicester 1968, p. 75-86. Il serait toutefois peu avisé de chercher
à expliquer toute tournure insolite de la prose de Patrick
par une conformité à une tournure usitée en latin vulgaire ;

il peut avoir fait simplement une faute. Comme il le dit lui-
même à plusieurs reprises, il était loin d'avoir la maîtrise
de la langue. De même, si la syntaxe celte, de Bretagne ou
d'Irlande, n'est pas restée sans influence sur lui, il n'est pas
aisé d'en déceler des traces précises.

Mais la langue de Patrick manifeste aussi un certain
archaïsme, qui peut être attribué à divers motifs : qu'il ait
emprunté son vocabulaire latin à l'aristocratie rurale de
Bretagne, qui parlait une langue différente du latin vulgaire
plus grossier des basses classes (Jackson) ou qu'il se soit
exprimé en « situation d'apôtre » (C. Mohrmann). Il est
d'autre part évident que le latin d'église constitue une partie du vocabulaire de Patrick et que la langue de la Bible
latine a largement contribué à lui fournir son stock de
mots et d'expressions.

Mais surtout Patrick avait des difficultés à manier le latin ;
il le déclare lui-même expressément :

« Car nos paroles et nos discours ont été traduits dans une
langue étrangère, comme il est facile de le discerner d'après
les relents de ma manière d'écrire... C'est pourquoi j'ai
honte aujourd'hui et je crains vivement de faire voir publiquement mon incapacité, car je ne peux pas m'exprimer
brièvement devant des gens instruits, c'est-à-dire de telle
sorte que ce que mon esprit et mon intelligence ont en vue,
mon expression sache le rendre clairement » (*Conf.* 9, 6-9 ;
10, 9-12).

Patrick ne s'est donc jamais senti à l'aise en latin ; il
donne l'impression non d'avoir oublié ce qui avait pu être
auparavant une connaissance passable, mais de n'avoir
jamais pu s'exprimer couramment en latin, pas plus orale-
ment que par écrit. Christine Mohrmann dit que Patrick
est ce que les experts en phonétique nomment un
« bilingue », c'est-à-dire un homme qui utilise une seconde
langue, sans être capable de l'utiliser effectivement en tout
ce qu'il voudrait ; Patrick est « un homme qui se bat avec
une langue qui n'est pas sa langue maternelle » (*op. cit.*,
p. 9).

Christine Mohrmann en concluait pourtant que Patrick
devait avoir passé un temps considérable en Gaule, où il
aurait reçu sa formation ecclésiastique, car il ne serait pas
entré ailleurs en contact avec le latin vulgaire. Elle admet-
tait donc que le latin vulgaire n'était parlé en Bretagne ni
au ive ni au ve siècle. Or, depuis qu'elle a écrit son livre
sur le latin de Patrick, il a été démontré par des preuves

archéologiques et philologiques que le latin vulgaire était certainement parlé en Bretagne à cette époque (*POC*, p. 165-169 ; D. Greene, *op. cit.*, p. 75-78), ce qui change entièrement l'état de la question. S'il était possible à Patrick d'apprendre le latin vulgaire en Bretagne et non en Gaule et si ce latin manifeste des archaïsmes notés par deux philologues indépendants (car, lorsque Christine Mohrmann écrivit *The Latin of St. Patrick*, elle n'avait pas lu le livre de K. Jackson), il y a une forte probabilité pour que Patrick ait appris son latin vulgaire en Bretagne, où il apprit aussi son latin archaïque. Sinon, pourquoi aurait-il eu des relents d'archaïsme ? S'il l'avait appris au cours de sa formation ecclésiastique en Gaule, pourquoi son maniement du latin est-il si défectueux ? Au cours des années passées dans ce pays, il aurait parlé latin et rien que latin. Son latin aurait pu manquer de finesse et d'élégance ; il aurait été parlé couramment et Patrick n'aurait pas eu de difficultés à le manier. Mais, s'il écrit comme un homme qui ne maîtrise pas la langue qu'il utilise, c'est qu'il a reçu sa formation ecclésiastique en Bretagne, peut-être dans un monastère breton ou dans la *familia* d'un évêque breton, peu de temps après son retour de captivité. Il a pu y apprendre un peu de latin, en plus des éléments assimilés avant d'être enlevé par les pirates irlandais ; mais, de son propre aveu, il en savait assez peu. Il est significatif qu'au chapitre 10 de la *Confession* il rejette la responsabilité de ce manque sur l'insuffisance de sa formation première et qu'il ne fasse aucune allusion à une autre période de sa vie, où il aurait pu approfondir ses connaissances.

Son latin n'était pas le latin littéraire des gens instruits (*Conf.* 9), mais un langage familier, en un mot du latin vulgaire tel qu'on le parlait en Bretagne. Dans la plupart des cas, Patrick devait continuer d'utiliser sa langue maternelle, le breton, et il n'a sans doute jamais acquis du latin plus qu'une connaissance fâcheusement rudimentaire et insuffisante. Ceci explique à la fois ses difficultés manifestes à s'exprimer en latin et sa préférence pour le vocabulaire biblique et ecclésiastique.

Le monde des latinistes a été long à rendre justice à la mine abondante que constituent les deux brefs ouvrages de Patrick pour la connaissance du latin vulgaire ; même de vénérables anthologies du latin médiéval, qui utilisent volontiers des livres tels que la *Peregrinatio* d'Éthérie et la *Mulomedicina* ne font absolument aucune mention de

Patrick : E. Löfstedt, *Late Latin*, Oslo 1959 ; V. Väänänen, *Introduction au latin vulgaire*, Paris 1967, par exemple. Il ne fait cependant aucun doute que nous possédons, dans les ouvrages de Patrick, une mine exceptionnelle pour la connaissance de ce latin.

Nous allons voir, dans l'*Excursus* suivant, les expressions propres à la vie ecclésiastique.

Notes sur la vie et le vocabulaire ecclésiastiques dans la Bretagne et l'Irlande du temps de Patrick

Si Patrick nous fait connaître un peu mieux la Bretagne et l'Irlande de son temps (voir ci-dessus p. 22-28 et 28-33), il nous renseigne davantage sur la vie ecclésiastique qu'il y a connue et, en particulier, sur le vocabulaire qui y était usuel :

Comme c'est habituellement le cas aux IVe et Ve siècles, *sacerdos* désigne l'évêque (*Conf.* 1, 10 ; *Ep.* 6, 5). Mais Patrick lui donne aussi le titre non usuel d'*adiutor* (*Conf.* 46, 4) : c'était un terme largement répandu sous le Bas-Empire pour désigner un fonctionnaire qui servait d'aide ou de chef du personnel à un fonctionnaire d'un rang plus élevé. Dans les *Varia* de Cassiodore (VI, VI, 8), *adiutor magistri* désigne l'aide ou le chef de bureau du maître des offices (O. J. Zimmermann, *The late latin Vocabulary of the Varia of Cassiodorus*, Hildesheim 1967, *sub voc.*). Patrick en a peut-être fait l'équivalent d'*antistes*, qui, à son époque, était pris fréquemment au sens d'« évêque ». Patrick reconnaît à l'évêque « une puissance divine et très élevée » (*Ep.* 6, 5-6). Aucun indice ne permet d'affirmer que l'Église fondée en Irlande par Patrick eut une structure différant de la structure diocésaine ordinaire — avec peut-être un début de système paroissial —, commune à toutes les églises du continent au Ve siècle. La structure spécifiquement celte, où le monachisme a totalement évincé et remplacé l'organisation diocésaine, ne doit pas son origine à Patrick.

C'est parmi les évêques qu'il faut compter les *seniores* (sans doute des évêques jouissant d'une certaine ancienneté) qui condamnèrent Patrick (*Conf.* 26, 1 ; 29, 1-2) et peut-être aussi ceux qui s'étaient opposés à son envoi en Irlande (*Conf.* 37, 3), quoique, dans ce dernier cas, ce terme puisse également désigner les anciens d'un monastère. A l'époque de Patrick, en effet, et plus tard, le terme de *seniores* était utilisé dans les monastères pour désigner les plus anciens des moines ou, du moins, ceux que l'abbé considérait comme réfléchis et dignes de confiance : voir Cassien, *Institutions* (*SC* 109), II, 3, 3.18 ; IV, 30, 1 ; VII, 13 ; XII, 32, 2 ; *Conférences* (*SC* 64), XIX, 16 ; Eugippe, *Vita sancti Severini, MGH AA* I, 43, 9 (29) ; Benoît, *Règle* (*SC* 181-182), 3, 12 ; 4, 59.70.71 ; 22, 3.7 ; 23, 1-5.27 ; 46, 5 ; 48, 17.18 ; 56, 3 ; D. S. Nerney, « A Study of St. Patrick's Sources », *Irish Ecclesiastical Record* 71, 1949, p. 501-505.

Pour désigner les prêtres, Patrick emploie le terme de *presbyter* (*Conf.* 1, 4), qu'il paraît distinguer une fois (*Ep.* 3, 4-5) des autres clercs (*clerici*). Plus souvent (*Conf.* 38, 3 ; 40, 7 ; 50, 4 ; 51, 5), il les inclut parmi eux.

Parmi ces « autres clercs », Patrick ne mentionne explicitement que les diacres, à propos de son propre père (*Conf.* 1, 3) et de lui-même (*Conf.* 27, 3).

Le fait que Calpornius, le père de Patrick, et Potitus, son grand-père, appartenaient l'un et l'autre au clergé, l'un comme diacre, l'autre comme prêtre, n'a pas à nous embarrasser. Dans la première moitié du ive siècle, on ne voyait aucun inconvénient à ce que même des évêques vivent avec leurs femmes et entretiennent avec elles un commerce charnel. Le père de Grégoire de Nazianze, par exemple, était probablement évêque lorsqu'il l'engendra et certainement lorsqu'il engendra le jeune frère de Grégoire, Césaire. A la fin du ive siècle, dans une décrétale adressée à l'évêque de Tarragone, l'évêque de Rome, Siricius (384-399) interdit aux membres du clergé d'avoir un commerce charnel avec leurs femmes (*Ep.* I, 8-11 ; VI ; *PL* 13, 1138-1141) ; dans une lettre à Victricius, évêque de Rouen, Innocent Ier (402-417) promulgua la même interdiction pour la faire observer par le clergé de la province *Lugdunensis secunda* (qui, plus que Tarragone, est proche de la Bretagne). Dans *Les chrétientés celtiques* (p. 229), L. Gougaud attire notre attention sur un passage d'Ambroise (*De officiis*, I, 50), disant qu'en certains pays éloignés des prêtres continuaient à vivre dans l'état de mariage. La Bretagne comptait certainement alors parmi les « pays éloignés ». Après avoir été consacré évêque d'Augustonemetum (Clermont-Ferrand) en 470, Sidoine Apollinaire continua de vivre avec sa femme et d'élever ses enfants.

Quant à Patrick, il peut évidemment avoir été à la fois moine et diacre : cf. Cassien, *Conférences* IV, 1.

Des *monachi* ne sont, il est vrai, mentionnés que deux fois par Patrick (*Conf.* 41, 5 et *Ep.* 12, 8) et ce sont ceux qu'il a lui-même institués en Irlande.

Il n'est pas nécessaire d'admettre, comme C. Thomas, dans un livre par ailleurs excellent (*The Early Christian Archaeology of North Britain*, Oxford 1971, p. 21-22), que l'Occident n'a connu, aux ve et vi[e] siècles, que deux formes de monachisme, un ascétisme purement individuel et privé et « une communauté permanente, stable, cloîtrée, obéissant à une règle sous l'autorité d'un abbé et se manifestant extérieurement par l'éducation, l'activité missionnaire, des ermitages et éventuellement des fondations sous son obédience ». A côté de ces deux types de monachisme, un troisième est également attesté, une vie monastique menée par la *familia* d'un évêque, et c'est ce genre de vie qui constituait, d'après Bieler (*St. Patrick and the Coming of Christianity*, p. 90-91), le monachisme de l'Église irlandaise du temps de Patrick. On connaît des exemples de ce genre de vie ascétique dans la Gaule du ve siècle. Analogue serait le cas du moine Eupraxius, que Grégoire de Nazianze envoya comme messager à Eusèbe de Samosate, alors en Thrace, et qui vivait normalement dans la *familia* de Grégoire (Grégoire de Nazianze, *Lettres* LXV, I, 84), ou celui du moine Claudien Mammert, mentionné dans la correspondance de Sidoine Apollinaire (*Ep.* IV, 11, 6) : maître de chapelle à la cathédrale, il enseignait à l'école épiscopale de son frère, l'évêque de Vienne, et s'acquittait aussi pour lui de plusieurs autres fonctions (voir R. P. C. Hanson, « The Church in Fifth Century Gaul », dans *Journal of Ecclesiastical History* 21, 1970, p. 7-8, et G. B. Ladner, *The Idea of Reform*, Cambridge Mass., 1959, p. 385-402).

Avant de devenir évêque, Patrick a donc pu pratiquer en Bretagne une forme de vie ascétique, seul ou au sein d'un groupe, la *familia* d'un évêque. Voir dans Bowen, *Saints, Seaways and Settlements*, p. 209-210, et *POC*, p. 140-154, les preuves de l'existence d'un monachisme breton au ve siècle. Voir aussi la référence citée p. 52, note 1.

A une telle suggestion on pourrait opposer l'affirmation de Patrick : *uitam perfectam ego non egi* (*Conf.* 44, 7). Or tout un ensemble de textes nous invitent à considérer *uita perfecta* comme un terme technique, servant à désigner la vie ascétique adoptée par les moines de diverses obédiences, et Benoît utilise *perfectus* et d'autres termes semblables pour la vie de moines ordinaires (*Règle*, Prologue, 4 ; 6, 3 ; 73, 2.8). Mais ce terme pourrait également désigner un degré de mortification que cherchent à atteindre, même s'ils n'y parviennent pas, non tous les moines, mais les plus austères

d'entre eux : Cassien, *Institutions*, XII, 1, 6 ; *Conférences*
VII, 6 ; IX, 5 ; X, 14 ; XXI, 2-8.

D'autre part, au chapitre 43 (3-5) de la *Confession*, Patrick
manifeste le désir d'aller en Gaule pour visiter les frères
et voir le visage des saints de son Seigneur. Pour autant
qu'il ne dit pas deux fois la même chose, on peut penser
que les *fratres* désignent l'ensemble des chrétiens et les
sancti Domini mei les moines. Les contemporains de Patrick
présentent de nombreux exemples d'un tel usage. P. Courcelle cite (« Commodien et les invasions du ve siècle »,
Revue des Études latines 24, 1946, p. 227-246), chez des
auteurs du ve siècle, tels qu'Orose et Salvien, plusieurs
textes où *sancti*, employé seul, signifie « moines ». Nous
trouvons occasionnellement le même usage chez Cassien
(*Institutions*, X, 25 ; *Conférences*, XI, préf. ; XVIII, 1) et
probablement chez Vincent de Lérins (*Common.* I : « si par
hasard il — c.-à-d. : notre livre — nous échappe et tombe
dans les mains des *saints* ; *ibid.* XXIV, 33 : « tous les fidèles
de tous âges, tous les *saints* » — le clergé a déjà été mentionné). Dans d'autres textes, toutefois, Vincent, comme
Patrick, utilise ce terme pour de simples chrétiens. Voir
aussi Constance de Lyon, *Vita Germani*, VI, 32. Si, un siècle
après Patrick, Benoît se refuse à employer le mot *sancti* en
parlant de moines, c'est une preuve que ce terme était
employé en ce sens au temps de Patrick, car c'est délibérément que Benoît rejette un emploi devenu abusif (*Règle*,
4, 62) : *non uelle dici sanctum antequam sit, sed prius esse
quod uerius dicatur* (voir les remarques de Christine Mohrmann, *Études sur le latin des chrétiens*, Rome 1961-1965, t. II,
p. 332, note 18). Si nous pouvons donc voir des moines dans
les *sancti Domini mei* de ce chapitre de Patrick, nous pouvons être certains qu'il considérait la Gaule comme le lieu
où rencontrer des moines, le lieu d'où était venue l'inspiration du monachisme et où il était possible de trouver
d'illustres exemples de vie monastique. Cette interprétation de *sancti* ne nous oblige à conclure ni que Patrick
avait rendu visite à des moines de Gaule — quoique cela
paraisse probable — ni qu'il était moine — bien qu'elle
rende une telle conclusion plus vraisemblable. Voir d'autres
emplois de *sanctus* p. 97, note 3.

On trouve, au chapitre 59 (1-2) de la *Confession*, l'expression « s'il m'est arrivé de réaliser quelque œuvre bonne
pour mon Dieu ». Mais notre traduction n'est pas parvenue
à rendre à la fois le vague et la technicité des termes de

Patrick : *si aliquid boni umquam imitatus sum* ; *imitari*
évoque souvent la vie monastique. Salvien dit à propos de
moines (*Ad eccl.*, II, III, 13) : *hos enim ego omnes non aliter
quam imitatores Christi honoro* ; et, à propos de la communauté de biens entre religieux (III, x, 41) : *quae etiam nunc
ab aliquantis Christi imitatoribus fiunt* ; cf. Patrick (*Conf.* 47,
4) : *utinam ut et uos imitemini maiora.* C'est certainement
ce sens-là qu'il faut lui donner au chapitre 42 (15), où
Patrick parle des vierges consacrées qui, malgré l'opposition parentale, *fortiter imitantur.*

A propos de l'une d'entre elles, Patrick dit aussi qu'elle
arripuit ce que font aussi toutes les vierges de Dieu (*Conf.*
42, 6), employant un verbe que Bieler (*LEB* 2) a trouvé
chez d'autres auteurs au sens de « choisir la chasteté pour
des motifs religieux ».

Car Patrick parle des vierges (*Conf.* 41, 5 ; 42, 5.7 ; 49,
3 ; *Ep.* 12, 8) plus souvent que des moines. D'après Gougaud
(*Les chrétientés celtiques*, p. 93-95), les vierges consacrées de
l'époque de Patrick devaient vivre dans la même maison
que des hommes d'église ou sous leur gouvernement et
leur protection, menant un genre de vie analogue à celui
des *subintroductae* ou vivant même — bien que cela lui
paraisse peu probable — dans des monastères doubles
pour gens de l'un et l'autre sexe, comme il en exista notamment au début de l'Église anglo-saxonne ou en Irlande,
à l'époque de Ste Bridget, s'il faut en croire sa *Vie* par
Cogitosus.

Mais il paraît certain que celles qui avaient à souffrir de
leurs familles (*Conf.* 42, 8-15), comme celles qui pouvaient
offrir des cadeaux à Patrick (*Conf.* 49, 3-5), ne vivaient pas
en communautés, mais dans leurs familles ou chez elles : à
l'époque de Patrick, Salvien atteste (*Ad eccl.*, II, VIII,
30-31) l'existence de vierges consacrées possédant des for-
tunes et demeurant dans leurs propres maisons du sud de
la Gaule. Cf. Jean Chrysostome, *De sacerdotio*, III, 17, *PG*
48, 657.

Patrick mentionne encore les veuves, ceux (et celles)
qui observent la continence (*Conf.* 42, 11) et les *mulieres
religiosae* (*Conf.* 49, 3) : ce n'étaient pas simplement des
personnes pieuses, mais des personnes qui avaient adopté
un mode de vie et d'autodiscipline particulier et que l'Église
reconnaissait comme telles. Sidoine Apollinaire emploie
souvent le terme de *religiosus* pour des hommes engagés dans
des vœux de continence ou de chasteté. Et Salvien distingue

parmi les *religiosi* (*Ad eccl.* II, IV, 14) les veuves, les vierges, les époux observant la continence, les moines et les clercs.

Si Patrick mentionne à plusieurs reprises (*Conf.* 41, 4-5 ; *Ep.* 12, 7-8) d'innombrables Scots consacrés moines ou vierges, il parle également d'innombrables Bretons vivant en Irlande (*de genere nostro qui ibi nati sunt* : *Conf.* 42, 10) et qui adoptèrent un même genre de vie.

Quant aux fidèles qui n'ont pas contracté d'engagements particuliers, Patrick les appelle peuple du Seigneur, fils de Dieu (*Conf.* 41, 3-4), chrétiens (*Ep.* 2, 7 ; 12, 4 ; 14, 1), concitoyens des saints (*Ep.* 2, 3), saints eux-mêmes (*Ep.* 13, 1 ; 14, 2), frères (*Conf.* 6, 1 ; 14, 5 ; *Ep.* 16, 2), frères chrétiens (*Conf.* 49, 2), frères et compagnons de service (*Conf.* 47, 1-2), frères du Seigneur (*Ep.* 21, 7). En *Conf.* 32, 3, *fratres* signifie probablement « frères dans le Christ », mais il pourrait également signifier « des moines, mes frères ». En *Ep.* 9, il revient deux fois (5 et 6) dans des citations bibliques. Jusqu'à l'époque d'Augustin, il désigne des « frères dans le Christ » ; toutefois, Augustin lui-même, la version latine de Pachôme, Cassien et Benoît l'emploient aussi pour des moines « confrères » d'autres moines (voir Christine Mohrmann, *Études sur le latin des chrétiens*, II, p. 335-336, et sa préface à l'édition de la *Regula Benedicti* par P. Schmitz, Maredsous 1955, p. 25-26).

Ces chrétiens ont été baptisés, souvent par Patrick lui-même. Apôtre dans un pays neuf, il mentionne très souvent le baptême (*Conf.* 14, 6 ; 40, 7 ; 42, 2 ; 50, 1 ; 51, 4 ; *Ep.* 7, 5 ; 14, 4 ; 16, 6 ; 17, 4 ; 19, 3 ; 21, 8), sacrement de la nouvelle naissance (*Conf.* 38, 2-3). Il l'associe plusieurs fois à la confirmation. Il utilise pour celle-ci les verbes *crismare* (*Ep.* 3, 1), *consummare* (*Conf.* 38, 3 ; 51, 5) et *confirmare* (*Ep.* 2, 8).

En dehors de notre texte, le verbe *crismare* n'est pas connu avant Eugène de Tolède († 657) et Grégoire de Tours. Les premiers exemples que nous connaissions de l'emploi de *confirmare* pour désigner la « confirmation », comme rite complémentaire du baptême, se trouvent dans les *Actes* des Conciles de Riez (439) et d'Orange (441). C'est, en effet, au Ve siècle que *confirmare* a remplacé *consummare* en ce sens : Patrick est alors le seul à avoir gardé cet emploi de *consummare*.

Le rite de la confirmation a dû se développer dans l'Église vers l'an 200 : attesté chez Tertullien, on n'en trouve pas de signe sûr avant lui. Sa forme et le moment de sa récep-

tion ont varié : les uns étaient confirmés par imposition
des mains sans onction, les autres par onction sans imposition des mains ; les uns, avant, les autres après le baptême.
Sa signification a également été interprétée de différentes
manières : pour Cyprien, par exemple, le baptême confère
le pardon des péchés, la confirmation le don du Saint-
Esprit. A l'époque de Patrick, la confirmation comportait,
dans presque toute l'Église d'Occident, deux rites distincts,
l'onction avec le saint chrême et l'imposition des mains
par l'évêque ; parfois le premier rite était accompli par un
simple prêtre et le second prenait la forme d'une onction
d'huile par l'évêque. Ils étaient célébrés immédiatement
avant la première communion, les trois sacrements étant
reçus au cours d'une même cérémonie, du moins dans la
pratique courante de l'Église jusqu'à la fin du IVe siècle.
Dans l'Église d'Occident, on considérait alors la confirmation
(comme le suggère le verbe *consummare*) comme un complément et un affermissement du baptême et souvent comme
conférant le Saint-Esprit. On n'envisageait pas encore que
ce pût être un sacrement donné à des adolescents pour
compléter le baptême des petits enfants. Nous ne saurions
dire si, dans l'usage de Patrick, l'onction était donnée par
un prêtre ou par l'évêque. Dans la Gaule du Ve siècle, l'é-
vêque n'utilisait pas de chrême pour l'imposition des mains ;
il peut être raisonnable de penser que la Bretagne a suivi
la coutume de la Gaule. Pour les victimes de Coroticus (ci-
dessus p. 41-43), du moins, il est évident qu'aucun laps de
temps ne vint séparer l'onction du saint chrême (par Patrick
ou quelque autre) de l'imposition des mains de l'évêque.
Nous ignorons s'il y avait des enfants parmi les nouveaux
baptisés de Patrick, car le fait qu'ils aient tous reçu la confirmation n'en exclut pas la possibilité. Salvien, le contemporain de Patrick, attache une grande importance à la
diuini chrismatis unctionem ou au *chrisma ecclesiasticum*
après le baptême : c'est, pour lui, le signe que les chrétiens
sont promus une race royale (*De gub. Dei*, III, 2, 8).

On peut penser qu'au chapitre 2 (8) de l'*Épître*, *confirmaui* ne se rapporte pas seulement au sacrement de confirmation, mais à l'ensemble du rite d'initiation qui suit le
baptême et comprend la première eucharistie : il serait peu
vraisemblable que, dans un contexte comme celui-ci,
Patrick mentionne la confirmation sans allusion à l'eucharistie et T. Marsh a raison de dire que Patrick aurait été
le premier à utiliser *confirmare* en ce sens restreint (« St. Pa-

trick's Terminology for Confirmation », *Irish Ecclesiastical Record* 93, 1960, p. 144-154). Voir aussi J. D. C. Fisher, *Christian Initiation* : *Baptism in the mediaeval West*, Londres 1962, p. 17-22, 30-35, 53-55, 78, 92-93, 125-126, 141-148.

Missionnaire en pays païen, Patrick n'a qu'une seule allusion explicite — et encore — à l'eucharistie : les chrétiennes apportaient leurs offrandes sur l'autel (*Conf.* 49, 4).

Nous ne reviendrons pas ici sur ce que les conditions de l'envoi de Patrick en mission (p. 37-38), ses démêlés avec Coroticus (p. 41-43) et les accusations dont il fut l'objet (p. 43-46) nous ont appris de la vie d'un évêque breton, ni sur ce que nous avons pu percevoir de son enseignement et de sa piété (p. 48-52) et nous conclurons ces notes sur l'Église de Bretagne et d'Irlande au ve siècle, en relevant l'usage par Patrick de deux termes, alors surannés dans le reste de la chrétienté : *mensura fidei* (*Conf.* 14, 1) au sens de « règle de foi » et *consummare* (*Conf.* 38, 3 ; 51, 5) pour « donner le sacrement de confirmation ».

INDEX SCRIPTURAIRE

Les références concernant de simples allusions sont précédées d'un astérisque.

Les références de la colonne de droite sont données de la façon suivante : les abréviations C et E désignent respectivement : la Confession et la Lettre à Coroticus. Les chiffres désignent d'abord le chapitre, ensuite la ligne.

La numérotation des psaumes est celle de la Vulgate.

Le sigle V. L. désigne l'ancien texte latin (*Vetus Latina*).

INDEX DES MOTS

Le C renvoie à la Confession, le E à l'Épître, les chiffres aux chapitres et aux lignes.

Pour les mots qui reviennent au moins 40 fois, nous nous sommes bornés à indiquer entre parenthèses, le nombre d'occurrences.

nauigo C 18, 2.15
nauis C 17, 4.11 ; 18, 1
ne C 9, 2 ; 48, 6.7
nec C 4, 1 (*bis*). 2 ; 17, 6 ; 29,
  5 ; 32, 4.5 ; 34, 9 ; 35, 5 ; 36,
  2 ; 37, 2 ; 48, 5 ; 49, 9 ; 53,
  5 ; E 6, 5 ; 7, 2 (*bis*). 3
necdum C 27, 5
necessarius C 52, 9
neglegentia C 46, 2
nemo C 8, 2 ; 34, 19 ; 48, 4 ;
  51, 3 ; 62, 4 ; E 21, 3
neophytus E 3, 1
nequaquam C 18, 4 ; E 21, 3
neque C 3, 1 ; 15, 1.5 ; 16, 8 ;
  27, 7 ; 36, 2 ; 37, 4 ; 45, 2 ;
  54, 2.3 ; 55, 2.7 ; 60, 2.6 ;
  E 2, 3 ; 10, 8 ; 11, 3 ; 16, 4 ;
  17, 6 (*bis*)
nequeo C 10, 11 ; E 12, 9 ;
  16, 3
nescio C 12, 2 ; 24, 1 ; 25, 9 ;
  27, 5 ; 42, 10 ; 46, 8 ; E 4,
  1 ; 13, 4 ; 15, 1
nihil C 16, 7 ; 17, 10 ; 19, 9.20 ;
  20, 3 ; 22, 5 ; 55, 9 ; 57, 3
nihilominus C 42, 9 ; 52, 3
nimis C 57, 4
nisi C 24, 3 ; 41, 2 ; 57, 3
nitor C 44, 3
nix C 16, 7
nobilis C 42, 1
nobilitas E 10, 7
nomen C 4, 10.19 ; 14, 4 ; 23,
  6 ; 26, 5 ; 29, 5 ; 34, 8 ; 37,
  11 ; 40, 11 ; 48, 7.8 ; 59, 3
non (102 fois)
nondum C 52, 5 ; 54, 4 ; E
  15, 6
nonne E 16, 8
nos, nobis C 1, 12 (*bis*) ; 11, 7 ;
  19, 5.6 ; 22, 1 ; 23, 13 ; 25,
  9.11 ; 33, 2 ; 42, 3 (*bis*) ; 48,
  6 ; 52, 8 ; 55, 5 ; 60, 2.4 ;

E 3, 5 ; 16, 5 — nobiscum
  C 18, 4.11 ; 52, 5
noster C 1, 8.10(*bis*) ; 3, 4 ; 9,
  7 ; 19, 13 ; 25, 8.11 ; 38, 8 ;
  40, 6 ; 42, 10 ; 52, 8 ; 59, 10 ;
  E 9, 9 ; 10, 11
notitia C 41, 1
notus C 14, 2 ; 17, 6
noui C 35, 7 ; 36, 2 ; 45, 4 ; 46,
  12
nouissimus C 34, 13 ; 40, 20 ;
  E 11, 9
nox C 16, 5 ; 17, 1 ; 19, 14 ;
  20, 1 ; 21, 2.4 ; 22, 4 ; 23,
  5 ; 24, 1 ; 29, 2 (*bis*) ; E
  17, 6
nubes E 19, 5
nuditas C 27, 9
nudo C 29, 5
nullus C 37, 3
numerus C 36, 2 ; 42, 10.11 ;
  E 2, 7
numquam C 9, 5 ; 15, 5 ; 17,
  6 ; 39, 2 ; 41, 1 ; 51, 4 ; 54,
  5 ; 58, 2 ; 60, 2.5 ; 61, 3 ;
  E 20, 4
numquid E 10, 1.3
nunc C 1, 13 ; 40, 10 ; 46, 15 ;
  47, 1 ; 56, 1 ; 60, 9 — cf.
  usque nunc
nuncupo C 41, 4 ; E 4, 5
nuntius C 42, 4
nuper C 38, 4 ; 41, 3 ; E 9, 8
nusquam C 23, 4

o E 16, 1
ob C 18, 14 ; E 1, 4 ; 2, 4 ; 10,
  9 ; 19, 3
obitus C 14, 4
oboediens C 1, 10 ; 4, 17
obprobrium C 26, 7 ; 37, 7
obseruo C 40, 12
obsto C 10, 4
obtineo C 18, 15

TABLE DES MATIÈRES

ACHEVÉ D'IMPRIMER
LE 5 SEPT. 1978
SUR LES PRESSES
DE PROTAT FRÈRES
A MACON

Nº IMPRIMEUR : 6371. Nº ÉDITEUR : 6909. DÉPÔT LÉGAL : 4ᵉ TRIMESTRE 1978

SOURCES CHRÉTIENNES

186. **Id.** — Tome VI. Commentaire (Parties VII-IX), Index. A. de Vogüé (1971).

187. Hésychius de Jérusalem, Basile de Séleucie, Jean de Béryte, Pseudo-Chrysostome, Léonce de Constantinople : **Homélies pascales.** M. Aubineau (1972).

188. Jean Chrysostome : **Sur la vaine gloire et l'éducation des enfants.** A.-M. Malingrey (1972).

189. **La chaîne palestinienne sur le psaume 118.** Tome I. Introduction, texte critique et traduction. M. Harl (1972).

190. **Id.** — Tome II. Catalogue des fragments, notes et index. M. Harl (1972).

191. Pierre Damien : **Lettre sur la toute-puissance divine.** A. Cantin (1972).

192. Julien de Vézelay : **Sermons.** Tome I. Introduction et Sermons 1-16. D. Vorreux (1972).

194. **Actes de la Conférence de Carthage en 411.** Tome I. Introduction. S. Lancel (1972).

195. **Id.** — Tome II. Texte et traduction de la Capitulation et des Actes de la première séance. S. Lancel (1972).

196. Syméon le Nouveau Théologien : **Hymnes.** J. Koder, J. Paramelle, L. Neyrand. Tome III. Hymnes XLI-LVIII, Index (1973).

197. Cosmas Indicopleustès : **Topographie chrétienne,** t. III. Livres VI-XII, Index. W. Wolska-Conus (1973).

198. **Livre** (cathare) **des deux principes.** Ch. Thouzellier (1973).

199. Athanase d'Alexandrie : **Sur l'incarnation du Verbe.** C. Kannengiesser (1973).

200. Léon le Grand : **Sermons,** tome IV. Sermons 65-98, Éloge de S. Léon, Index. R. Dolle (1973).

201. **Évangile de Pierre.** M.-G. Mara (1973).

202. Guerric d'Igny : **Sermons.** Tome II. J. Morson, H. Costello, P. Deseille (1973).

203. Nersès Snorhali : **Jésus, Fils unique du Père.** I. Kéchichian. Trad. seule (1973).

204. Lactance : **Institutions divines,** livre V. Tome I. Introd., texte et trad. P. Monat (1973).

205. **Id.** — Tome II. Commentaire et index. P. Monat (1973).

206. Eusèbe de Césarée : **Préparation évangélique,** livre I. J. Sirinelli, É. des Places (1974).

207. Isaac de l'Étoile : **Sermons.** A. Hoste, G. Salet, G. Raciti. Tome II. Sermons 18-39 (1974).

208. Grégoire de Nazianze : **Lettres théologiques.** P. Gallay (1974).

209. Paulin de Pella : **Poème d'action de grâces** et **Prière.** C. Moussy (1974)

210. Irénée de Lyon : **Contre les hérésies,** livre III. A. Rousseau, L. Doutreleau. Tome I. Introduction, notes justificatives et tables (1974).

211. **Id.** — Tome II. Texte et traduction (1974).

212. Grégoire le Grand : **Morales sur Job.** Livres XI-XIV. A. Bocognano (1974).

213. Lactance : **L'ouvrage du Dieu créateur.** Tome I. Introduction, texte critique et traduction. M. Perrin (1974).

214. **Id.** — Tome II. Commentaire et index. M. Perrin (1974).

215. Eusèbe de Césarée : **Préparation évangélique,** livre VII. G. Schroeder, É. des Places (1975).

245. **Targum du Pentateuque.** Tome I : **Genèse.** R. Le Déaut et J. Robert. Trad. seule (1978).
246. Cyrille d'Alexandrie : **Dialogues sur la Trinité.** Tome III. Dial. VI-VII, index. G. M. de Durand (1978).
247. Grégoire de Nazianze : **Discours** 1-3. J. Bernardi (1978).
248. **La doctrine des douze apôtres.** W. Rordorf et A. Tuilier (1978).
249. S. Patrick : **Confession et Lettre à Coroticus.** R. P. C. Hanson et C. Blanc (1978).

Hors série :

Directives pour la préparation des manuscrits (de « Sources Chrétiennes »). A demander au Secrétariat de « Sources Chrétiennes ». 29, rue du Plat, 69002 Lyon.
La Règle de S. Benoît. VII. Commentaire doctrinal et spirituel. A. de Vogüé (1977).

SOUS PRESSE

Théodoret de Cyr : **Histoire des moines de Syrie,** t. II. P. Canivet et A. Leroy-Molinghen.
Gertrude d'Helfta : **Œuvres spirituelles.** Tome IV. **Le Héraut,** Livre IV. J.-M. Clément, B. de Vregille et les Moniales de Wisques.
Targum du Pentateuque. Tome II : **Exode et Lévitique.** R. Le Déaut.
Grégoire de Nazianze : **Discours** 27-31 (Discours théologiques). P. Gallay.
Origène : **Traité des principes.** Livres I et II. H. Crouzel et M. Simonetti (2 volumes).
Grégoire le Grand : **Dialogues.** P. Antin et A. de Vogüé, tome I.
Hilaire de Poitiers : **Sur S. Matthieu.** J. Doignon (2 volumes).
S. Jérôme : **Commentaire sur S. Matthieu,** t. II. É. Bonnard.

PROCHAINES PUBLICATIONS

Grégoire le Grand : **Dialogues.** P. Antin et A. de Vogüé. Tomes II et III.
Jean Chrysostome : **Le sacerdoce.** A.-M. Malingrey et H. de Lubac.
Pseudo-Macaire : **Œuvres spirituelles.** t. I. V. Desprez.
Irénée de Lyon : **Contre les hérésies,** livres I et II. A. Rousseau et L. Doutreleau.
Théodoret de Cyr : **Commentaire sur Isaïe.** J.-N. Guinot.
Eusèbe de Césarée : **Préparation évangélique,** livres IV, 1 - V, 17. O. Zink et É. des Places.
Eusèbe de Césarée : **Préparation évangélique,** livres V, 18 - VI. É. des Places.

SOURCES CHRÉTIENNES
(1-249)

LES ŒUVRES DE PHILON D'ALEXANDRIE

publiées sous la direction de
R. ARNALDEZ, C. MONDÉSERT, J. POUILLOUX
Texte grec et traduction française